Pose des carrelages sur sol **- C**arrelage mural **- M**oquette

carrelage

Collection
dirigée par
Michel MATANA

Editions **A**lternatives

5, rue de Pontoise 75005 Paris

1 - MAÇONNERIE 1
Terrassements, béton armé, fondations, assainissements.

2 - MAÇONNERIE 2
Mortiers, murs, isolations, cloisons.

3 - MAÇONNERIE 3
Planchers, carrelages, cheminées, enduits.

4 - CHARPENTES
Assemblages, lucarnes, ossature bois, planchers, escaliers.

5 - ELECTRICITE
Branchements, prise de terre, disjoncteurs, montages, circuits.

6 - PLOMBERIE
Canalisations, sanitaires, gaz, eau chaude, isolation phonique des canalisations.

7 - PLANS DE VOTRE MAISON
Les conseils d'un architecte pour établir des plans de maison.

8 - TOITURES
Chaume, ardoises, tuiles plates, tuiles canal, zinc, bardeaux.

9 - ISOLATION
Réglementation, murs, planchers, toitures, vitrages.

10 - MENUISERIES
Portes, fenêtres, vitrerie, volets, parquets, lambris.

11 - PERMIS DE CONSTRUIRE
Certificat d'urbanisme, permis de construire, permis de démolir, certificat de conformité, taxes.

12 - CHAUFFAGE ELECTRIQUE
Chauffage direct, par le sol, accumulation, pompe à chaleur.

13 - BETON ARME
Armatures, coffrages, poteaux, poutres, planchers, balcons.

14 - PRIX POUR BATIR 1
Prix moyens pratiqués suivants les régions : maçonneries, charpentes, couvertures, isolations.

15 - PRIX POUR BATIR 2
Prix moyens pratiqués suivants les régions : menuiseries, serrurerie, électricité, plomberie, chauffage.

16 - CHEMINEES
Fonctionnement, réglementation, construction, récupérateurs.

17 - ESCALIERS
Escaliers droits, à quartiers tournants, balancés, circulaires.

18 - CHAUFFAGE
Bois, charbon, fioul, électro-fioul, gaz, condensation.

19 - CARRELAGE
Pose des carrelages sur sol et sur murs, moquette.

20 - HUMIDITE
Diagnostic, remontées d'eau, infiltrations, condensation.

21 - MAISONS DU NORD
80 plans et modèles de maisons, libres d'utilisation, avec plans, façades, descriptifs, prix.

22 - MAISONS DU SUD
80 plans et modèles de maisons, libres d'utilisation, avec plans, façades, descriptifs, prix.

23 - MAISONS CONTEMPORAINES
60 plans et modèles de maisons, libres d'utilisation, avec plans, façades, descriptifs, prix.

24 - MAISONS DE STYLE
60 plans et modèles de maisons, libres d'utilisation, avec plans, façades, descriptifs, prix.

25 - MAISONS DE BORD DE MER
60 plans et modèles de maisons, libres d'utilisation, avec plans, façades, descriptifs, prix.

26 - MAISONS DE MONTAGNE
60 plans et modèles de maisons, libres d'utilisation, avec plans, façades, descriptifs, prix.

27 - PISCINES
Réglementation, modèles, construction, équipements, spas.

28 - VERANDAS
Réglementation, conception, construction, serres, abris de jardin.

29 - MAISONS FAMILIALES
60 plans et modèles de maisons, libres d'utilisation, avec plans, façades, descriptifs, prix.

30 - MAISONS DE PLAIN-PIED
60 plans et modèles de maisons, libres d'utilisation, avec plans, façades, descriptifs, prix.

31 - MAISONS EN BOIS
60 plans et modèles de maisons, libres d'utilisation, avec plans, façades, descriptifs, prix.

32 - MAISONS EN PIERRE
60 plans et modèles de maisons, libres d'utilisation, avec plans, façades, descriptifs, prix.

33 - MAISONS ECONOMIQUES
60 plans et modèles de maisons, libres d'utilisation, avec plans, façades, descriptifs, prix.

34 - MAISONS MODERNES
60 plans et modèles de maisons, libres d'utilisation, avec plans, façades, descriptifs, prix.

35 - MAISONS TRADITIONNELLES
60 plans et modèles de maisons, libres d'utilisation, avec plans, façades, descriptifs, prix.

36 - MAISONS MEDITERRANEENNES
60 plans et modèles de maisons, libres d'utilisation, avec plans, façades, descriptifs, prix.

à paraître :

37 - CUISINES
38 - SALLES DE BAINS
39 - RENOVER LES MAÇONNERIES
40 - RENOVER LES TOITURES

Editions Alternatives

introduction

savoir faire ou faire savoir ?

A une époque où l'information est diffusée en masse dans les secteurs les plus variés, le consommateur devient plus exigeant. Mieux informés, ceux qui s'intéressent de près ou de loin à la construction ne sont plus des néophytes et considèrent l'acte de bâtir comme une affaire sérieuse, bien loin du bricolage.

Autrefois, on s'en remettait au bouche à oreille, au tour de main, au savoir-faire du spécialiste. Aujourd'hui, en construction neuve, ces notions sont périmées. La connaissance artisanale fait place à une connaissance normalisée et réglementée. Si l'on considère comme regrettable l'abandon des traditions, il donne en contrepartie au non-spécialiste l'accès à une connaissance naguère peu divulguée.

La collection **" Concevoir et Construire "** propose une source d'informations établie en fonction des normes et règlements (DTU, normes NF) et rendue accessible à tous. En raison de l'évolution des matériaux et des techniques, cette série d'ouvrages est remise à jour régulièrement. Elle concerne les artisans, les maçons, les constructeurs, mais aussi le grand public voulant construire, réparer ou rénover une maison avec les meilleures garanties.

Editions Alternatives

sommaire

chapes et supports   2

pose des carrelages sur sol   3

normes et classements

MARQUES NF - CLASSEMENTS UPEC

■■■■ classement UPEC

Le classement UPEC existe depuis 1979 en ce qui concerne les carrelages. Il est largement connu et utilisé par les architectes et maîtres d'œuvre.

La signification de la dénomination UPEC est la suivante:

U = usage

P = poinçonnement (usure par impact)

E = comportement à l'eau et à l'humidité

C = tenue aux agents chimiques.

Chaque lettre est munie d'un indice qui indique les exigences auxquelles doit satisfaire l'ouvrage ainsi que les qualités du carrelage. L'indice augmente avec la sévérité d'usage ou avec le niveau de qualité. Les carrelages

---

utilisés doivent avoir un indice au moins égal à celui du local où ils sont posés.

Domaine d'utilisation

Le classement UPEC concerne les revêtements de sol intérieurs (bâtiments d'habitation, hôtels, administrations, écoles, hôpitaux, etc.).

En ce qui concerne les locaux commerciaux où l'aspect décoratif est plus important que l'aspect durabilité, le classement UPEC est avant tout un caractère indicatif. Le classement UPEC ne concerne pas les sols industriels.

Ce classement tient compte d'une durée de vie moyenne des carrelages de dix ans.

Lettre U

Elle concerne l'usage du matériau, c'est-à-dire le changement d'aspect dû à l'encrassement ou à l'usure. Elle est affectée d'un des indices: 1, 2, 2s, 3, 3s, 4.

Lettre P

Elle concerne les effets de poinçonnement dus généralement au mobilier et aux talons aiguilles. L'indice P_1 indique les locaux sans piétinement (circulation rectiligne). L'indice P_2 indique les locaux où les contraintes statiques ne dépassent pas 20 kg/cm^2. P_3 indique des locaux soumis à des circulations de chariots ou de sièges à roulettes. P_4 indique des locaux très sollicités sans être industriels.

Lettre E

Elle indique la présence plus ou moins fréquente d'eau sur le sol.
E_0 indique une présence d'eau accidentelle.
E_1 indique une présence d'eau occasionnelle telle qu'un nettoyage humide.
E_2 indique un nettoyage par lavage.
E_3 indique un lavage très fréquent.

Lettre C

Elle indique l'emploi de substances chimiques pouvant provoquer des taches indélébiles.
C_0 indique l'absence de ces produits.
C_1 indique une présence accidentelle.
C_2 indique une manipulation courante de ces produits (exemple : cuisine).

Les tableaux de classement

Les tableaux de classement ci-après concernent les carrelages mais également toutes les autres catégories de revêtements de sol, tels que plastiques, textiles, parquets et sols coulés à base de résine.

Dans ces tableaux figurent des avertissements qui indiquent les éventuelles protections à prévoir ainsi que les entretiens réguliers à effectuer (avec indication des produits prohibés).

En ce qui concerne les locaux non cités on peut soit consulter les autres tableaux soit trouver par analogie des locaux dont les caractéristiques seront similaires. Si l'on compte utiliser des revêtements différents à l'intérieur d'un même local, il est préférable de prévoir des revêtements d'un classement plus élevé pour éviter des différences d'aspect dues à une usure inégale. Les revêtements doivent tous être posés sur un support sain et sec. Quand des locaux classés E_2 reposent sur un plancher en bois ou sur des panneaux de particules, l'exigence devient E_3.

Influence de la pose

L'exécution des travaux a une influence très importante sur la qualité finale des sols.

Ils doivent être conformes aux DTU et éventuellement aux documents particuliers attribuant le classement UPEC aux revêtements.

A - Pièces principales (pièces sèches) et circulations

Entrée, dégagements et couloirs en rez-de-chaussée........... $\quad U_{2S}\ P_2\ E_1\ C_0$

Toutes pièces avec porte-fenêtre sur jardin, terrasse ou balcon............... $\quad U_{2S}\ P_2\ E_1\ C_0$

Séjour, pièce ouvrant sur le séjour par une baie libre.............. $\quad U_{2S}\ P_2\ E_1\ C_0$

Pièce à usage professionnel : réception de clientèle, salle d'attente............... $\quad U_{2S}\ P_2\ E_1\ C_0$

Escalier, si le revêtement de marche habille le nez de marche............... $\quad U_{2S}\ P_2\ E_1\ C_0$

Pièce sans accès sur l'extérieur, chambre à l'étage, local de rangement, vestiaire............... $\quad U_2\ P_2\ E_1\ C_0$

Circulation à l'étage, couloir, dégagement............... $\quad U_2\ P_2\ E_1\ C_0$

Escalier avec profilé de nez de marche distinct du revêtement............... $\quad U_2\ P_2\ E_1\ C_0$

B - Pièces de service (pièces humides ou pièces d'eau)

Cuisine, coin - cuisine attenant à un séjour............... $\quad U_{2S}\ P_2\ E_2\ C_2$

Salle d'eau ou de bains, douche, WC............... $\quad U_2\ P_2\ E_2\ C_1$

Salle d'eau, etc., sur support en bois ou en dérivés du bois.... $\quad U_2\ P_2\ E_3\ C_1$

Avertissement
Les revêtements de sol ne donnent pleinement satisfaction, surtout dans les locaux à affectation collective (classement > U_3), que :
1° si les accès depuis l'extérieur comportent des dispositifs retenant les grains abrasifs et l'humidité amenés par les semelles de chaussures ; cette protection est essentielle, tant pour un textile que pour un matériau hétérogène ou verni : plastique multicouche, grès émaillé, parquet.
2° s'ils reçoivent un entretien adapté à leur nature et au trafic supporté.
Sauf spécification, les locaux collectifs autres que le hall sont considérés comme n'ouvrant pas directement sur l'extérieur. Sinon, classer U_4.
Nota : pour éviter ou atténuer les marques de brûlure par cigarette, disposer des cendriers là où les personnes stationnent fréquemment et choisir pour les revêtements un aspect (coloris, marbrage ou chinage, dessin imprimé) ayant un effet de masque vis-à-vis des traces de cigarettes.

immeubles collectifs - parties privatives

A - Pièces principales (ou sèches) et circulations intérieures aux logements

Entrée...	U_{2S} P_2 E_1 C_0
Séjour, pièce attenante au séjour ou avec porte-fenêtre.....	U_{2S} P_2 E_1 C_0
Pièce à usage professionnel : réception, salle d'attente........	U_{2S} P_2 E_1 C_0
Chambre ou bureau à usage personnel, sans porte-fenêtre...	U_2 P_2 E_1 C_0
Dégagement, circulation intérieure au logement...................	U_2 P_2 E_1 C_0

B - Pièces de service (pièces humides ou pièces d'eau) intérieures aux logements

Cuisine, coin - cuisine attenant à un séjour..........................	U_{2s} P_2 E_2 C_2
Salle d'eau ou de bains, douche, WC.................................	U_2 P_2 E_2 C_1

immeubles collectifs - parties communes

A - Circulations

Hall d'entrée desservant moins de 25 logements..................	U_4 P_2 E_2 C_0 ou U_{3s} P_2 E_1 C_0
Hall d'entrée desservant 25 logements ou davantage............	U_4 P_2 E_2 C_0
Couloir, palier d'étage (ou d'ascenseur) sans vide-ordures.....	U_3 P_2 E_1 C_0
Escalier et demi-paliers..	U_3 P_2 E_1 C_0

B - Annexes

Local ou emplacement de vide-ordures à l'étage...................	U_3 P_2 E_2 C_2
Local de réception de vide-ordures, local des poubelles, local pour deux-roues..	U_4 P_3 E_3 C_2
Local pour voitures d'enfants...	U_3 P_2 E_2 C_0

1 - Normes et classements

espaces extérieurs au bâtiment

Balcon, loggia, terrasse accessible ou non de l'extérieur.....	U_3 P_3 E_3 C_2
Coursive, terrasse, escalier, seuil d'entrée (collectifs)............	U_4 P_3 E_3 C_2

locaux d'activité

Plateau recouvert avant cloisonnement.................................	U_3 P_3 E_1 C_0
Bureau paysagé non cloisonné.................................	U_3 P_3 E_1 C_0
Bureau collectif..	U_3 P_3 E_1 C_0
Bureau individuel..	U_{2s} P_2 E_1 C_0
Salle de conférence, salle de réunion...........................	U_3 P_2 E_1 C_0
Bibliothèque..	U_3 P_2 E_1 C_0
Salle publique de réunion, salle des fêtes.....................	U_3 P_3 E_2 C_1 ou U_{3s} P_3 E_1 C_1
Foyer de jeunes...	U_3 P_3 E_2 C_1
Musées..	U_4 P_3 E_2 C_0 ou U_{3s} P_3 E_1 C_0
Eglises, lieux de culte..	U_3 P_3 E_2 C_0 ou U_{3s} P_2 E_1 C_0

Avertissement

Les revêtements de sol ne donnent pleinement satisfaction, surtout dans les locaux à affectation collective (classement > U_3) , que :
1° si les accès depuis l'extérieur comportent des dispositifs retenant les grains abrasifs et l'humidité amenés par les semelles de chaussures ; cette protection est essentielle, tant pour un textile que pour un matériau hétérogène ou verni : plastique multicouche, grès émaillé, parquet.
2° s'ils reçoivent un entretien adapté à leur nature et au trafic supporté.
Sauf spécification, les locaux collectifs autres que le hall sont considérés comme n'ouvrant pas directement sur l'extérieur. Sinon, classer U_4 .
Nota : pour éviter ou atténuer les marques de brûlure par cigarette, disposer des cendriers là où les personnes stationnent fréquemment et choisir pour les revêtements un aspect (coloris, marbrage ou chinage, dessin imprimé) ayant un effet de masque vis-à-vis des traces de cigarettes.

locaux d'activité et de circulation

Boutiques en rez-de-chaussée sauf alimentation................... U_3 P_2 E_2 C_0 ou U_{3s} P_2 E_1 C_0

Boutiques en étage... U_3 P_2 E_1 C_0

Commerces d'alimentation.. U_3 P_3 E_2 C_2

Grands magasins
sauf restauration, zones de stockage

Zones d'accès et de circulation en rez-de-chaussée.............. U_4 P_3 E_2 C_0

Rayons au rez-de-chaussée.. U_4 P_3 E_2 C_0 ou U_{3s} P_3 E_1 C_0

Escaliers et paliers, circulation en étage...................... U_4 P_3 E_2 C_0 ou U_{3s} P_3 E_1 C_0

Rayons en étage.. U_3 P_3 E_1 C_0

Cafétérias de grands magasins ou de grandes surfaces......... U_4 P_3 E_2 C_2

Avertissement

L'aspect et le confort ont ici une importance primordiale par rapport à la durée de vie. Quand celle-ci intervient dans le choix du revêtement les classements à utiliser sont ceux indiqués ci-dessus.

Les magasins selon leur nature, leur taille et leur degré de fréquentation peuvent être assimilés aux boutiques et peuvent être traités comme des magasins à rayons multiples ou comme des magasins de grande surface.

Les revêtements de sol ne donnent pleinement satisfaction, surtout dans les locaux à affectation collective (classement > U_3), que :
1° si les accès depuis l'extérieur comportent des dispositifs retenant les grains abrasifs et l'humidité amenés par les semelles de chaussures ; cette protection est essentielle, tant pour un textile que pour un matériau hétérogène ou verni : plastique multicouche, grès émaillé, parquet.
2° s'ils reçoivent un entretien adapté à leur nature et au trafic supporté.
Sauf spécification, les locaux collectifs autres que le hall sont considérés comme n'ouvrant pas directement sur l'extérieur. Sinon, classer U_4.

Nota : pour éviter ou atténuer les marques de brûlure par cigarette, disposer des cendriers là où les personnes stationnent fréquemment et choisir pour les revêtements un aspect (coloris, marbrage ou chinage, dessin imprimé) ayant un effet de masque vis-à-vis des traces de cigarettes.

carrelages et céramiques

	Fabrication	Dureté	Formats, présentation	
			Revêt.épais (e en mm)	Revêt. minces (e en mm)
Terre cuite grossière	Mélange d'argiles peu calcaires, cuisson à 900/1000°C	Non vitrifiée, rayable au canif	17X200X200 15X160X160 14X160X160 hexagone 12X150X150	9X200X200 ; en vrac 8X100X100 ; en vrac 8X48X50 ; encollée sur papier
Terre cuite de Salernes	Mélanges d'argiles peu calcaires, cuisson à 900/1000°C	Vitrifiable, non rayable au canif. Son clair au choc métallique	10X140X140 8,5X100X100 105X105 hexagone	5X50X50 ; encollée sur papier
Terre cuite décorative	Argiles grésantes de Provence, cuisson dans four à effet de flammes	Vitrifiable, non rayable au canif	25X300X300 300X300 octo 180X240 140X280 110X220	
Demi-grès	Argiles vitrifiables et/ou réfractaires, cuisson à 1200°C	Incomplètement vitrifié, dense, non rayable au canif	12,5X140X140 10X100X100	6X50X50 ; en vrac ou encollé sur papier
Grès-cérame comprimé	Mélange d'argile à 28% d'alumine et de feldspath comprimés, cuisson à 1250°C	Dur, imperméable, non rayable au verre	12X400X400 300X300 200X200 150X130 10X150 et 100 hexagones	6X100X100 5X50X50 ; en vrac 4,5X30X30 3X20X20 ; encollé
Grès-cérame étiré	Mêmes composition et cuisson mais mise en forme par étirement	Mêmes caractéristiques	30 25X245X120 20 15	
Carreaux de Briare	Pâte à base de : alumine, silice, oxydes métal, cuisson à 800/1000°C	Vitrifiés dans la masse, inaltérables, non gélifs, non rayables à l'acier		7X19X19 ; brillants 7,5X19X19 ; semi-mats, en vrac ou encollés
Pâtes de verre	Mélange de : silice, soude ou potasse, carbonate de chaux, spath cuits à 1250°C et laminés	Vitrifiés dans la masse mais présentant des arêtes mal équarries		4,5 ; éléments mosaïques 20X20 ou 50X50, en vrac ou encollés sur papier

normes françaises de références

Choisir des carrelages conformes aux normes c'est s'assurer de la qualité de ceux-ci. En cas de conformité les emballages doivent porter la marque NF. A chaque type de carreau correspond une norme différente énumérée ci-dessous.

NF EN 87
P 61-101 - Novembre 1991
Carreaux et dalles céramiques de sols et murs. Définitions, classification, caractéristiques et marquages.
NF EN 121
P 61-401 - Décembre 1991
Carreaux et dalles céramiques étirés à faible absorption d'eau (E< 3%). Groupe A I
NF EN 186-1
P 61-402-1 - Décembre 1991
Carreaux et dalles céramiques étirés à absorption d'eau 3%<E<6%. Groupe A IIa - Partie 1.
NF EN 186-2
P 61-402-2 - Janvier 1992
Carreaux et dalles céramiques étirés à absorption d'eau 3%<E<6%. Groupe A IIb - Partie 2.
NF EN 187 -1
P 61-403-1 - Décembre 1991
Carreaux et dalles céramiques étirés à absorption d'eau 6%<E<10%. Groupe A IIb - Partie 1.
NF EN 187-2
P 61-403-1 - Décembre 1991
Carreaux et dalles céramiques étirés à absorption d'eau 6%<E<10%. Groupe A IIb - Partie 2.
NF EN 188
P 61-404 - Décembre 1991
Carreaux et dalles céramiques étirés à absorption d'eau E >10%. Groupe A III.
NF EN 176
P 61-405 - Novembre 1991
Carreaux et dalles céramiques pressés à sec, à faible absorption d'eau E<3%. Groupe B.
NF EN 177
P 61-406- Décembre 1991
Carreaux et dalles céramiques pressés à sec, à faible absorption d'eau 3%<E<6%. Groupe B IIa.
NF EN 178
P 61-407 - Décembre 1991
Carreaux et dalles céramiques pressés à sec, à faible absorption d'eau 6%<E<10%. Groupe B IIb.
NF EN 159
P 61-408 - Décembre 1991
Carreaux et dalles céramiques pressés à sec, à faible absorption d'eau E>10%. Groupe B III.
NF EN 98
P 61-501 - Novembre 1991
Carreaux et dalles céramiques. Détermination des caractéristiques dimensionnelles et aspect de surface.
NF EN 99
P 61-502 - Novembre 1991
Carreaux et dalles céramiques. Détermination de l'absorption d'eau.

NF EN 100
P 61-503 - Novembre 1991
Carreaux et dalles céramiques. Détermination de la résistance à la flexion.
NF EN 1O1
P 61-504 - Novembre 1991
Carreaux et dalles céramiques. Détermination de la dureté superficielle à la rayure.

NF EN 102
P 61-505 - Novembre 1991
Carreaux et dalles céramiques. Détermination de la résistance à l'abrasion profonde. Carreaux non émaillés.
NF EN 103
P 61-506 - Novembre 1991
Carreaux et dalles céramiques. Détermination de la dilatation thermique linéique.
NF EN 104
P 61-507 - Novembre 1991
Carreaux et dalles céramiques. Détermination de la résistance au choc thermique.

NF EN 105
P 61-508 - Novembre 1991
Carreaux et dalles céramiques. Détermination de la résistance au tressaillage. Carreaux et dalles émaillés.
NF EN 106
P 61-509 - Novembre 1991
Carreaux et dalles céramiques. Détermination de la résistance chimique. Carreaux non émaillés.
NF EN 122
P 61-510 - Novembre 1991
Carreaux et dalles céramiques. Détermination de la résistance chimique. Carreaux émaillés.
NF EN 154
P 61-511 - Novembre 1991
Carreaux et dalles céramiques. Détermination de la résistance à l'abrasion. Carreaux et dalles émaillés.
NF EN 155
P 61-512 - Novembre 1991
Carreaux et dalles céramiques. Détermination de la dilatation conventionnelle à l'humidité à l'eau bouillante. Carreaux et dalles non émaillés.
NF EN 202
P 61-513 - Novembre 1991
Carreaux et dalles céramiques. Détermination de la résistance au gel.
NF EN 163
P 61-514 - Novembre 1991
Carreaux et dalles céramiques. Echantillonnage et conditions de réception.

 # les différents carrelages

Les carreaux céramiques

Les carreaux céramiques sont fabriqués avec des minéraux comprimés ou étirés et cuits à très haute température. Les minéraux sont soit des terres soit des sables. En phase finale de fabrication, le carreau est parfois revêtu d'une couche d'émail. Suivant leur procédé de fabrication, ces carreaux appartiennent à deux classes différentes (A et B). On distingue la classe A des carreaux étirés de la classe B des carreaux pressés à sec. Chaque classe est divisée en quatre groupes (I, IIa, IIb, III) en fonction du pouvoir d'absorption d'eau des carreaux. Les carreaux du groupe I ont un pouvoir d'absorption d'eau inférieur à 3%. Les carreaux du groupe IIa ont un pouvoir d'absorption d'eau compris entre 3 et 6%. Les carreaux du groupe IIb ont un pouvoir d'absorption d'eau compris entre 6 et 10%. Les carreaux du groupe III ont un pouvoir d'absorption d'eau supérieur à 10%.

Les carreaux et dalles de mosaïque de marbre à liant ciment et carreaux de ciment

Ces carreaux sont définis par la norme NF P 61-302 en ce qui concerne leurs formes, leurs dimensions, leurs aspects, leurs propriétés physiques, mécaniques et chimiques. Seul le marquage NF sur l'emballage des carreaux peut vous garantir que ces produits sont conformes à la norme.

Dallages naturels, pierres calcaires, marbres

Pour garantir que ces matériaux sont résistants aux essais de compression, gélivité, usure et capillarité, il est important de s'assurer qu'ils sont conformes aux normes figurant dans le tableau des normes françaises.

La résistance des pierres est fonction de la qualité de la pierre mais surtout de son épaisseur.

Ardoises

L'ardoise est une pierre naturelle (schiste) qui est obtenue par clivage donnant des épaisseurs variables. Une ardoise de bonne qualité ne contient ni sulfure de fer, ni veine ni nœud. A noter que certaines veines n'altèrent pas la qualité. Certaines ardoises, compte tenu de leur teneur en carbonate de calcium, sont considérées comme des pierres calcaires. Les épaisseurs varient entre 1 et 4 cm en fonction de la taille des pierres. Les appareillages sont soit réguliers soit irréguliers. On appelle opus les appareillages irréguliers. On distingue l'opus tout-venant, et l'opus incertum, où la largeur des joints est variable et la forme des carreaux quelconque, de l'opus taillé et l'opus appareillé où les chants sont taillés.

Les tolérances pour les longueurs des pierres sont de :
-1 mm (+ ou -) en ce qui concerne les tailles polies,
- 2 mm (+ ou -) en ce qui concerne les dallages bruts.

Les tolérances pour les épaisseurs des pierres sont de:
- 4 mm (+ ou -) pour les dalles brutes d'épaisseur supérieure à 4 cm,
- 3 mm (+ ou -) pour les dalles dont l'épaisseur est supérieure à 2 cm,
- 2 mm (+ ou -) pour les dalles dont l'épaisseur est inférieure à 2 cm.

Les tolérances concernant la planéité des dallages en tailles adoucies et polies sont :
- flèche inférieure à 0,8 mm pour les dimensions inférieures à 40 cm,
- flèche inférieure à 1/500e de la longueur du plus grand côté pour les dimensions supérieures à 40 cm.

Les tolérances concernant l'équerrage des deux côtés adjacents est de 1 mm par classe de dimension pour les dalles en tailles adoucies ou polies, et de 2 mm pour les dallages bruts.

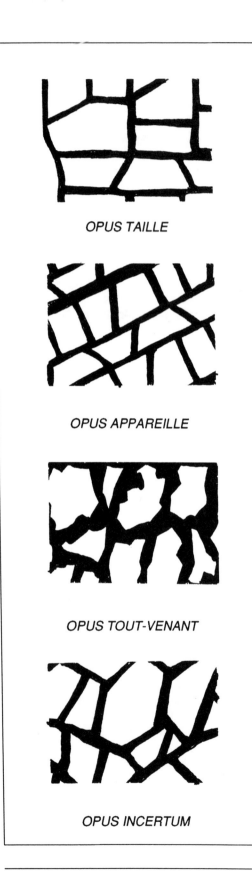

OPUS TAILLE

OPUS APPAREILLE

OPUS TOUT-VENANT

OPUS INCERTUM

les différentes colles

Les principaux types de colle sont :
- Les colles à durcissement hydraulique
- Les colles à durcissement hydraulique avec liant organique
- Les colles spéciales pour sol
- Les colles en dispersion aqueuse
- Les ciments-colles en milieu caséine
- Les systèmes à deux composants.

Pour chaque type de colle, il est important de respecter le temps de séchage entre le moment où la colle est étalée sur le support et le moment où la colle ne colle plus. Ce temps indiqué par le fabricant est fonction des conditions de température et d'hydrométrie du chantier.
Chaque colle comporte également une durée de vie spécifique ainsi qu'un délai de mise en service.

Colles à durcissement hydraulique

Ce sont des produits prédosés en usine à base de ciment, sable et constituants secondaires à mélanger avec de l'eau sur le chantier.
On les appelle couramment mortiers-colles.
Les mortiers-colles épais sont réservés pour collage des carreaux de grandes dimensions.
Ils peuvent être employés à l'intérieur comme à l'extérieur et sur les murs comme sur les sols.
Ils sont appliqués par simple encollage à l'aide d'une spatule dentelée pour les murs intérieurs ainsi que les sols intérieurs et extérieurs, et par double encollage pour les murs extérieurs.

Colles à durcissement hydraulique avec liant

On distingue :
- Les mortiers-colles avec résine incorporée sur le chantier, employés sur sols et murs intérieurs comme extérieurs,
- Les mortiers-colles à liant mixte incorporé prêt

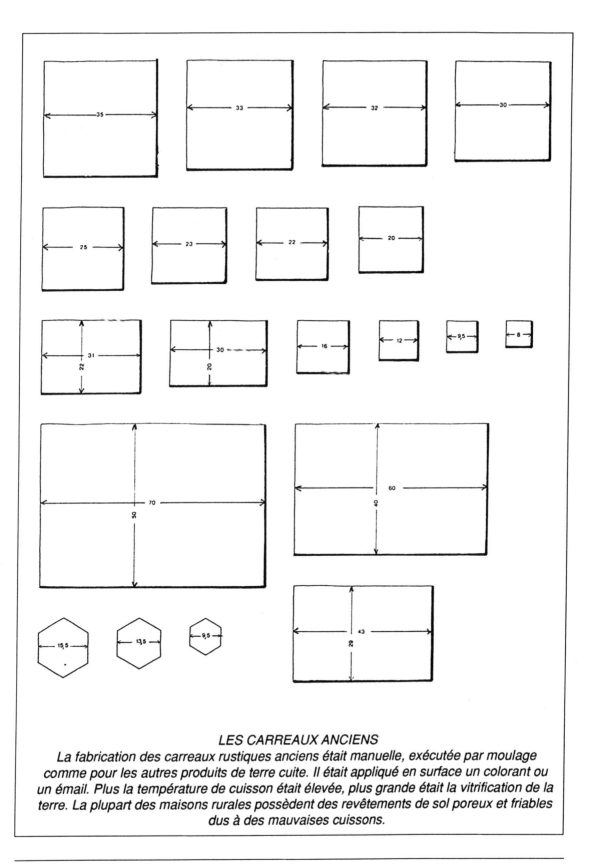

LES CARREAUX ANCIENS
La fabrication des carreaux rustiques anciens était manuelle, exécutée par moulage comme pour les autres produits de terre cuite. Il était appliqué en surface un colorant ou un émail. Plus la température de cuisson était élevée, plus grande était la vitrification de la terre. La plupart des maisons rurales possèdent des revêtements de sol poreux et friables dus à des mauvaises cuissons.

---

au mouillage à l'eau sur le chantier, employés sur sols et murs intérieurs comme extérieurs,
- Les systèmes à deux composants mélangés sur le chantier, employés sur sols et murs intérieurs comme extérieurs.

Colles spéciales pour sol

Ce sont des colles prêtes à l'emploi appliquées généralement en couches épaisses, certaines sont prévues pour un durcissement rapide.

Colles en dispersion aqueuse

Ce sont généralement des produits prêts à l'emploi qui ne contiennent pas de ciment, ils sont généralement à base de résine plastique mélangée à divers adjuvants.
On distingue :
- Les colles à usage courant
- Les colles épaisses adaptées au collage des carreaux de grande dimension.
Ces produits sont généralement utilisés uniquement pour les murs intérieurs.

Ciments colles en milieu caséine

Ce sont des produits pulvérulents à base de ciment, sable et adjuvants divers à mélanger à l'eau sur le chantier. Ce sont des produits relativement nouveaux qui ne sont pour l'instant considérés comme adaptés que pour la pose sur murs intérieurs.

Système à deux composants

Ces colles sont formées de deux composants prédosés dont l'un est un durcisseur sous forme liquide à mélanger sans adjonction d'eau sur le chantier. Ces produits peuvent être employés sur murs et sols intérieurs comme extérieurs.

Utilisation des colles

La pose collée sur murs demande un support plan. L'épaisseur limite d'emploi de la colle conditionne les tolérances de planéité exigibles du support en vue de l'obtention d'un revêtement fini plan. Il est important également que le support soit imperméable à l'eau dans les conditions normales d'occupation des locaux. La colle ne doit pas être susceptible de tacher les carreaux de façon indélébile. La colle une fois sèche devra résister à des températures de l'ordre de 60° compte tenu de la présence d'appareils de chauffage ou d'appareils de cuisson à proximité du revêtement mural. Cette limite de 60° doit être particulièrement respectée pour la pose de carrelages sur sols chauffants et sur les parois ensoleillées.

Pour la pose en sol, la colle devra avoir des propriétés lui permettant d'absorber les vibrations et les chocs dus aux déplacements du mobilier, ou déplacements d'objets (locaux hospitaliers ou d'enseignement).

Pour la pose en extérieur, il faut tenir compte des eaux de pluie qui ont une action directe sur la colle. Les températures varient en extérieur de - 20° à + 70°. L'action de la chaleur peut dénaturer certaines colles à base de liant non hydraulique. Le gel peut également avoir des effets néfastes sur les colles.

La colle utilisée devra être compatible avec le support du point de vue physico-chimique pour éviter les risques de saponification et la formation de sels pulvérulents. En particulier, il est important de vérifier la compatibilité entre la colle choisie et les supports à base de plâtre. Il est important de vérifier également que les supports ne se déforment pas de façon importante.

Le stockage de la colle doit suivre les recommandations du fabricant. Les emballages adaptés favorisent la conservation du produit surtout en ce qui concerne l'humidité. Les dates limites d'utilisation figurant sur les emballages doivent être respectées.
On distingue :
- les colles de classe A correspondant à des colles présentant une grande sensibilité à l'eau,
- les colles de classe B présentant une sensibilité modérée à l'eau,
- les colles de classe C ne présentant pas de sensibilité à l'humidité.
Les parois également sont classées Sa, Sb, Sc en fonction de leur sensibilité à l'eau.

chapes et supports

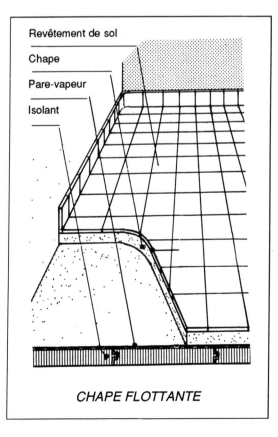

Revêtement de sol

Chape

Pare-vapeur

Isolant

CHAPE FLOTTANTE

 **définitions**

Les chapes sont des éléments de finition qui terminent la pose des planchers en permettant par leur état de surface la pose des revêtements de sol. La fonction d'une chape est d'assurer la mise à niveau du gros-œuvre avec des tolérances permettant de la laisser brute et apparente, ou permettant la pose des revêtements tels que carrelage ou moquette.

On distingue :
1- Les chapes adhérentes ou incorporées constituées par un apport de mortier de ciment de granulométrie fine appliqué avant que le béton du support ait fait sa prise. Une chape de mortier de ciment est dressée à la règle, talochée, et éventuellement lissée. Si le béton du support a commencé son durcissement on parlera de "chapes rapportées adhérentes".
2 - Chapes et dalles flottantes qui sont des ouvrages désolidarisés des parois verticales et de leurs supports par l'intermédiaire d'un isolant (ou d'une couche de glissement).

Elles sont constituées avec un mortier de ciment dont le dosage sera au moins égal à celui du béton du support avec un minimum de 350 kg de ciment Portland 45 par m^3 de mortier.

épaisseurs

Les épaisseurs ne doivent pas être inférieures à 1 cm. Entre 1 et 3 cm on utilise des mortiers spéciaux où sont incorporés des adjuvants. Au-dessus de 3 cm on utilise du mortier de ciment ou du béton.

exécution

Le mortier de béton est étalé sur la surface du support (avant durcissement du béton), damé, réglé, taloché et lissé suivant l'état de surface désiré.
Il faut prévoir des joints de fractionnement tous les 25 m^2.

La surface du support est en général un béton brut.

pose de l'isolant

La mise en place de l'isolant doit être faite de façon à obtenir une surface continue, des précautions étant prises pour empêcher la pénétration du mortier entre les rouleaux ou les panneaux. Il est également important de désolidariser les chapes des parois par la pose de films plastiques.

nature de l'isolant

S'il s'agit d'une simple **couche de désolidarisation** on utilisera un film plastique de 90 microns minimum ou un lit de sable d'1 cm d'épaisseur ou un feutre bitumé type 36S, ou des panneaux, ou encore des panneaux isolants imputrescibles.

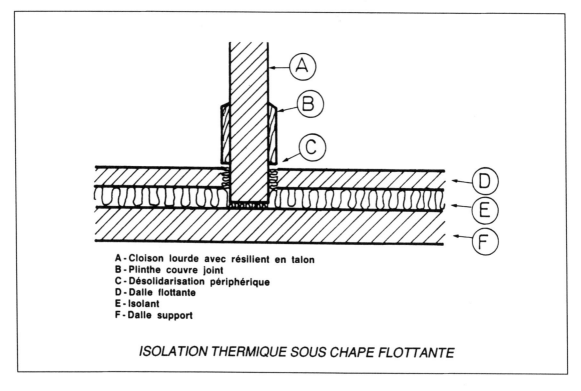

A - Cloison lourde avec résilient en talon
B - Plinthe couvre joint
C - Désolidarisation périphérique
D - Dalle flottante
E - Isolant
F - Dalle support

ISOLATION THERMIQUE SOUS CHAPE FLOTTANTE

S'il s'agit de **couches isolantes** on pourra utiliser :

- des bétons de granulat léger
- des bétons cellulaires
- des granulats
- de l'asphalte coulé
- des panneaux de polyuréthane

- des panneaux de polystyrène
- des panneaux de verre cellulaire
- des panneaux de liège expansé
- des panneaux de fibre minérale

Tous ces isolants choisis devront avoir un degré de compressibilité approprié pour supporter les surcharges d'utilisation.

épaisseur des chapes flottantes

Isolant		épaisseur	Chape
Classe de compressibilité			**armature**
1	Très peu compressible	3 cm 4 cm	0,9x0,9 / 50x50 (220g/m^2) possibilité de ne pas mettre d'armatures
	peu compressible	4 cm 5 cm	0,9x0,9 / 50x50 (220g/m^2) possibilité de ne pas mettre d'armatures
2	très légèrement compressible	4 cm 5 cm	0,9x0,9 / 50x50 (220g/m^2) possibilité de ne pas mettre d'armatures pour les isolants d'épaisseur inférieure à 12 mm
3	compressible	4 cm 5 cm	1,4x1,8 / 100 x 100 (335gm^2) 0,9x0,9 / 50 x 50 (220 g/m^2)

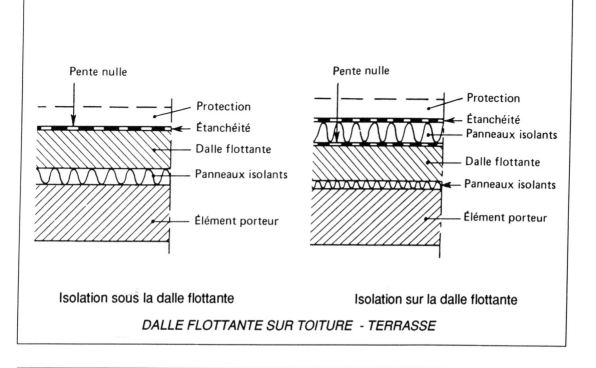

Isolation sous la dalle flottante   Isolation sur la dalle flottante

DALLE FLOTTANTE SUR TOITURE - TERRASSE

marché d'entreprise

Les travaux de chapes exécutés par une entre-prise comprennent :

- La réception des supports propres.
- La fourniture et pose des isolants.
- La fourniture et pose des chapes.
- L'enlèvement des déchets et gravats résultant des travaux de chapes.

Sauf indications contraires stipulées sur le marché, les travaux ne comprennent pas : l'enlèvement de mobilier, la démolition éventu-elle des chapes à remplacer, les traitements spéciaux de surface, les travaux rectificatifs permettant l'acceptation des supports.

▬▬▬ tolérances d'exécution et état de surface

1- Chapes rapportées
(DTU 26.2-4,3)

Sous la règle de 2 m aucune flèche supérieure à **7 mm** ne doit être observée après déplacement en tous sens sur la surface du support.
Sous le réglet de 20 cm aucune flèche supérieure à **2 mm** ne doit être observée après déplacement en tous sens sur la surface du support.
L'état de surface général est fin et régulier.

2- Chapes incorporées
(DTU 26.2-4,3)

Sous la règle de 2 m aucune flèche supérieure à **5 mm** ne doit être observée après déplacement en tous sens sur la surface du support.
Sous le réglet de 20 cm aucune flèche supérieure à **2 mm** (1 mm si on a prévu un revêtement moquette) ne doit être observée après déplacement en tous sens sur la surface du support.
L'état de surface général est fin et régulier.

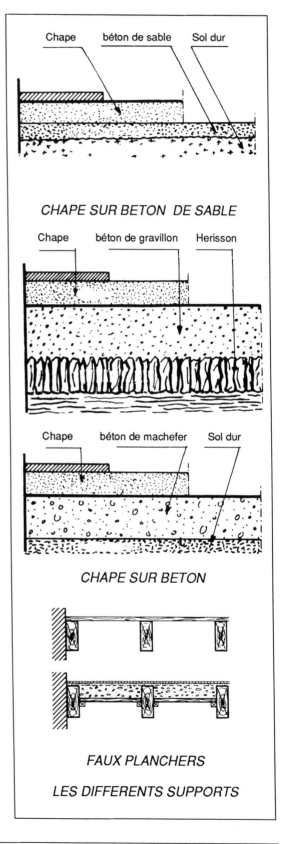

CHAPE SUR BETON DE SABLE

CHAPE SUR BETON

FAUX PLANCHERS

LES DIFFERENTS SUPPORTS

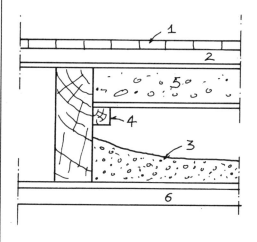

A - Aire en plâtre
B - Lambourde

Remplissage en plâtras

1 - Carrelage
2 - Mortier de pose
3 - Auget
4 - Liteau
5 - Hourdis
6 - Plafond

Remplissage par hourdis

PLANCHERS BOIS ANCIENS

rénovation des planchers bois

Avant la pose d'un carrelage sur plancher bois ancien, on dépose généralement le parquet à lames et l'on vérifie que les poutres et solives sont saines.

Dans le cas où certains éléments seraient défectueux, il faut soit les remplacer soit les consolider.

Si le parquet est en très bon état, on pourra l'utiliser tel quel comme support de chape après interposition d'une feuille polyane.

Parquet sur lambourdes avec remplissage en maçonnerie

Dans ce cas-là, avant la pose d'un carrelage, on dépose les lames de parquet et les lambourdes.

Après avoir nettoyé l'aire de maçonnerie et posé un film polyane, on exécute une chape armée avec une surface talochée si l'on désire un carrelage collé, ou laissé brute si l'on désire un carrelage scellé. Dans le cas d'une pose scellée, l'exécution de la chape et du carrelage pourra être réalisée simultanément.

Si la structure bois ne paraît pas suffisamment porteuse, on pourra utiliser un béton léger (exemple: pouzzolane).

Parquet sur solivage avec augets sans aire en maçonnerie

Dans ce cas-là, avant la pose d'un carrelage, on dépose les lames de parquet et les lambourdes.

On pose un film polyane, ainsi qu'un treillage métallique et l'on exécute une chape avec une surface talochée si l'on désire un carrelage collé, ou laissé brute si l'on désire un carrelage scellé.

On peut également se servir de plaques en contreplaqué comme coffrage perdu.

On peut également poser une feuille polyane puis remplir l'auget d'un béton pouzzolane que l'on laissera dépasser des solives de 5 cm. Le carrelage sera posé scellé avec un grillage dans la chape de pose.

Parquet sur solivage sans aire en maçonnerie et sans plafond en plâtre

Dans ce cas-là, si le plancher est en bon état il pourra être conservé pour servir de coffrage à une chape armée, après interposition d'un film polyane.

Parquet mosaïque collé

Dans le cas général, un ancien parquet mosaïque devra être déposé pour permettre la pose d'un carrelage.

Dans des cas très particuliers d'un parquet en excellent état, on pourra le conserver à la condition d'employer des colles spéciales.

Le carrelage sera collé directement sur le support à condition que celui-ci soit suffisamment régulier. S'il est irrégulier on pourra appliquer un enduit de lissage adapté. Si on désire réaliser une isolation acoustique, le carrelage sera posé sur une sous-couche résiliente.

Sols hétérogènes

Dans le cas d'une surface comportant plusieurs natures de sols différents ou traversée par le tracé d'une cloison démolie, il est préférable d'établir sur toute la surface une couche support homogène.

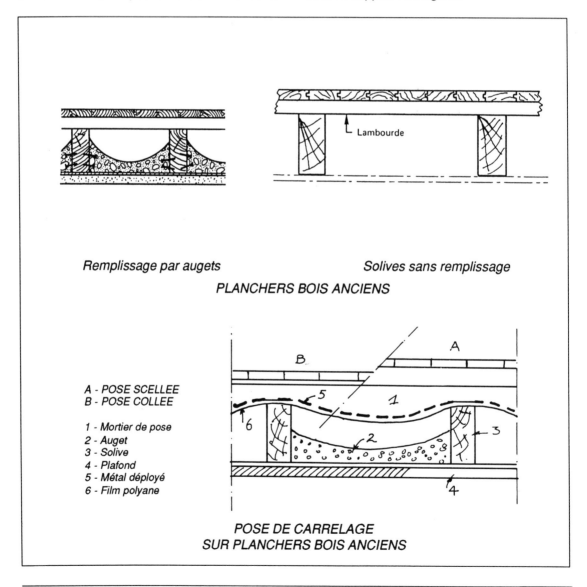

Remplissage par augets   *Solives sans remplissage*

PLANCHERS BOIS ANCIENS

A - POSE SCELLEE
B - POSE COLLEE

1 - Mortier de pose
2 - Auget
3 - Solive
4 - Plafond
5 - Métal déployé
6 - Film polyane

*POSE DE CARRELAGE
SUR PLANCHERS BOIS ANCIENS*

pose des carrelages sur sol

MOSAIQUE

types de pose

La réussite de la pose d'un carrelage dépend d'une part de la technique de pose employée et du soin avec lequel elle est exécutée et d'autre part de la réussite du calepinage (dessin d'assemblage).

On distingue deux grandes catégories dans les méthodes de pose :

- la pose scellée (au mortier)
- la pose collée (mortier-colle)

Une pose correctement exécutée nécessite un outillage approprié, une préparation soignée du support et une rigueur d'exécution du motif choisi.

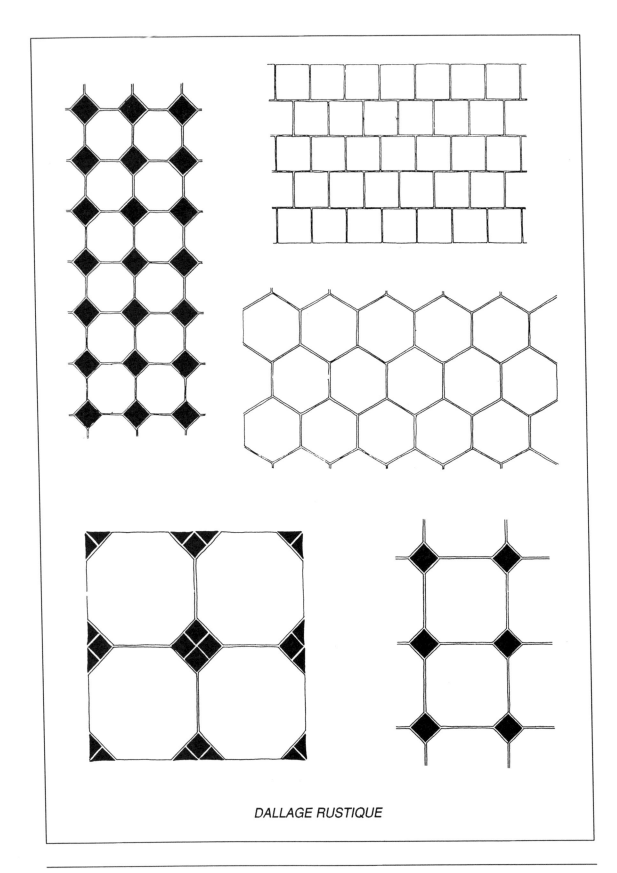

DALLAGE RUSTIQUE

3 - **P**ose des carrelages sur sol

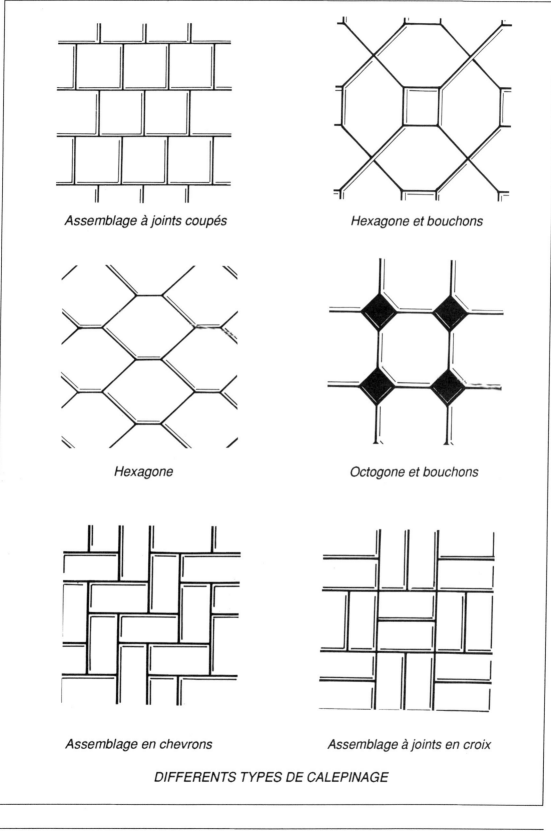

Assemblage à joints coupés

Hexagone et bouchons

Hexagone

Octogone et bouchons

Assemblage en chevrons

Assemblage à joints en croix

DIFFERENTS TYPES DE CALEPINAGE

outillage

niveau à bulle

maillet en bois

grande règle métallique

auge en plastique

couteau de peintre

truelle

peigne de carreleur

MORTIER

mortier

gabarit de pose

tenaille de carreleur

pointe à tracer

pince coupe-carreaux

raclette

carrelette

3 - **P**ose des carrelages sur sol

outillage

Un bon outillage est indispensable à la réussite de l'ouvrage. Il convient de prévoir au départ des travaux les outils nécessaires aux différentes étapes.

Un niveau à bulle, une grande règle métallique, des lattes de bois, un cordeau, un crayon et un mètre sont les outils indispensables à la préparation de la pose du carrelage pour le positionnement des guides et l'implantation des repères de niveau.

En ce qui concerne la pose proprement dite, l'outillage sera choisi en fonction de la technique de pose (scellée ou collée). Les principaux outils utilisés sont :
- auge en plastique,
- couteau de peintre,
- peigne de carreleur,
- gabarit de pose,
- pointe à tracer.

Pour caler et niveler les carreaux, on aura besoin d'une batte en bois et d'un maillet.

Pour percer les carreaux, on utilisera une perceuse munie de mèches au carbure.

Pour couper les carreaux, on utilisera suivant l'importance de la découpe et l'épaisseur du carrelage soit une pointe à tracer, des pinces coupe-carreaux, des tenailles de carreleur, soit une meleuse à disque.

Une fois les joints exécutés, pour nettoyer la surface carrelée, on aura besoin d'un balai de paille, d'une grande raclette en caoutchouc et de sciure de bois blanc.

préparation de la pose

Il ne faut jamais démarrer une pose sans un tracé préalable, ni sans avoir vérifié les niveaux des sols et le parallélisme des murs. Une pose s'effectue suivant différentes méthodes mais dans tous les cas le démarrage se fait à partir de deux axes perpendiculaires passant en général par le milieu de la pièce.

Principales méthodes de préparation de pose

Les principales méthodes concernant la préparation de pose sont :

- **pose au cordeau,**
- **pose à la marseillaise,**
- **pose à l'espagnole.**

L'explication de ces méthodes figure dans les encadrés des pages ci-après.

Repérage des niveaux

Quelle que soit la méthode de pose choisie, même si le support est plan et horizontal, il faut toujours contrôler les niveaux en raison des variations possibles de l'épaisseur du mortier. Les repères seront réalisés avec des carreaux provisoirement scellés à la cote de 1 mètre au-dessous du trait de niveau tracé sur les murs et les cloisons. Pour ce faire, on utilisera une pige de 1 mètre et un niveau à bulle. Les repères seront placés dans chacun des angles de la pièce. Pour les grandes surfaces on utilisera des repères intermédiaires.

Répartition des carreaux

Pour déterminer la bonne position des carreaux et équilibrer leur répartition, il est conseillé de disposer à sec une rangée de carreaux en prévoyant l'épaisseur des joints le long des deux côtés de la pièce. Les carreaux d'extrémité ne doivent pas toucher les murs mais se trouver à une distance de 5 mm qui sera masquée par la plinthe.

Si deux côtés de la pièce ne sont pas parallèles on disposera les carreaux parallèlement au côté par lequel on entre, de telle sorte que le rattrapage se fasse à l'endroit le moins visible.

Ligne de départ

Quelle que soit la méthode de pose choisie, la ligne de départ devra être parfaitement rectiligne. Cette ligne correspond en principe à la ligne de joint longitudinal parallèle au grand côté du local et proche de l'axe transversal.

Cette ligne correspond à l'axe de la pièce si une ligne de joint passe par cet axe. Si les carreaux sont croisés, elle correspondra à 1 joint tous les 2 carreaux.

Le calepinage sera disposé de façon à ce que les bordures aient la même largeur sur les côtés face à face de la pièce. On évitera les coupes du côté entrée et on les réservera pour le fond de la pièce.

On veillera également à ce que les carreaux situés en bordure ne soient pas en contact avec les murs.

Exécution des joints

Quelle que soit la méthode de pose choisie, les joints seront prévus assez larges, les carreaux ne devant jamais être en contact les uns avec les autres.

Entre les carreaux et les murs, il convient de respecter un espace d'au moins 5 mm.

Joints de fractionnement

Pour éviter les phénomènes de dilatation et de tassement du gros-œuvre, pouvant faire se fissurer les carrelages, il convient de **réaliser**

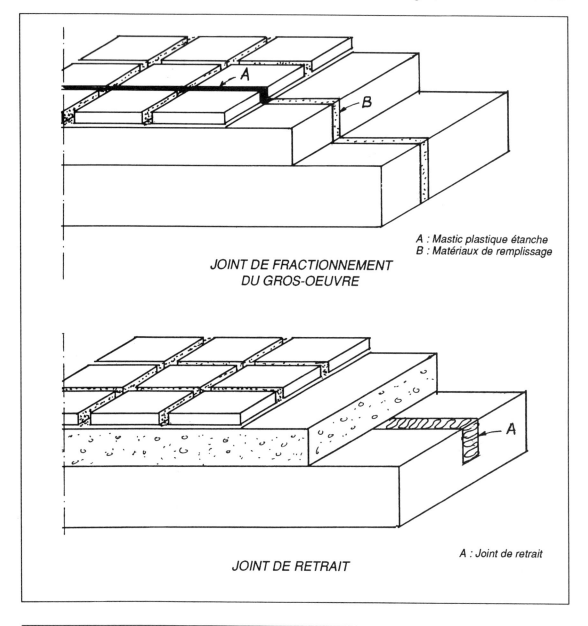

A : Mastic plastique étanche
B : Matériaux de remplissage

JOINT DE FRACTIONNEMENT
DU GROS-OEUVRE

A : Joint de retrait

JOINT DE RETRAIT

des joints de fractionnement lorque la surface carrelée est supérieure à 60 m² et pour toute longueur de couloir supérieure à 8 m.

Dans le cas d'une pose sur isolant thermique ou sur isolant phonique, la surface de 60 m² ci-dessus est ramenée à 40 m².

Ces joints de fractionnement doivent être exécutés dans la totalité de l'épaisseur du mortier de pose et du carrelage. Ils doivent avoir une largeur d'au moins 5 mm et être réalisés en matériaux résilients et plastiques.

Joints périphériques

Il est important de réaliser sur tout le pourtour des pièces un joint d'au moins 3 mm entre les carreaux et les murs, pour éviter les risques de soulèvement.

Cet espace de 3 mm doit être également aménagé au pourtour des poteaux.

La réalisation de ce joint n'est pas utile pour les surfaces de moins de 7 m². Les plinthes dissimulent ces joints.

La largeur des joints est fonction de la nature et de la dimension des carreaux.

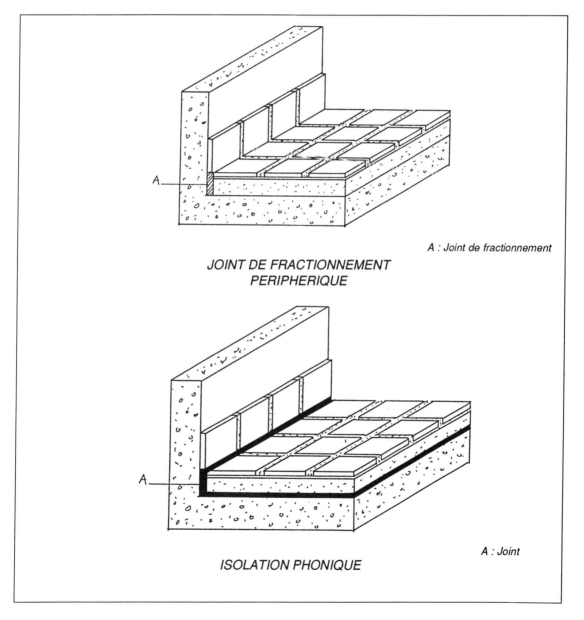

A : Joint de fractionnement

JOINT DE FRACTIONNEMENT
PERIPHERIQUE

A : Joint

ISOLATION PHONIQUE

pose au cordeau - méthode 1

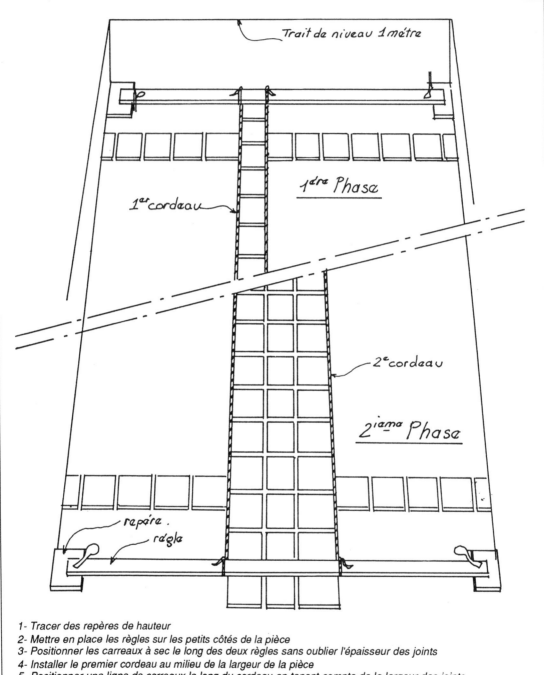

Trait de niveau 1 mètre

1ère Phase

1er cordeau

2e cordeau

2ième Phase

repère.
règle

1- Tracer des repères de hauteur
2- Mettre en place les règles sur les petits côtés de la pièce
3- Positionner les carreaux à sec le long des deux règles sans oublier l'épaisseur des joints
4- Installer le premier cordeau au milieu de la largeur de la pièce
5- Positionner une ligne de carreaux le long du cordeau en tenant compte de la largeur des joints
6- Mettre en place le deuxième cordeau suivant la largeur de la file de carreaux
7- Poser et sceller la première ligne de carreaux suivant l'alignement et le niveau des cordeaux
8- Déplacer le deuxième cordeau pour la pose-scellement des autres lignes de carreaux
9- Exécuter les joints

3 - Pose des carrelages sur sol

pose au cordeau - méthode 2

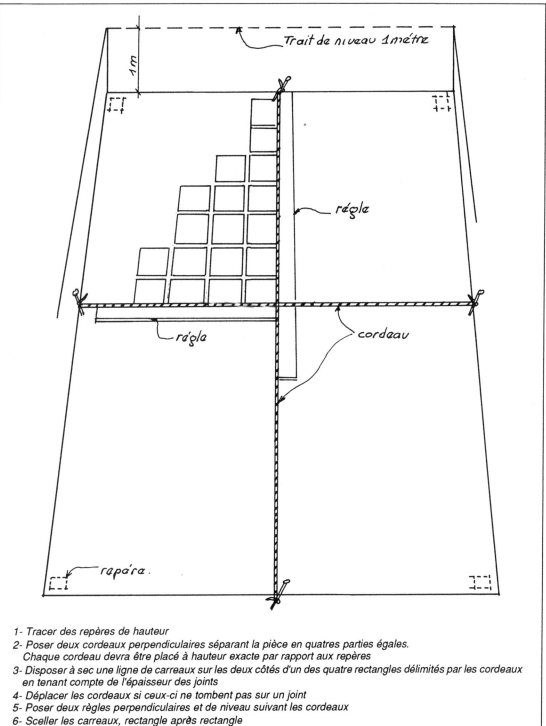

Trait de niveau 1 métre
1 m
régla
régla
cordeau
repéra.

1- Tracer des repères de hauteur
2- Poser deux cordeaux perpendiculaires séparant la pièce en quatres parties égales.
   Chaque cordeau devra être placé à hauteur exacte par rapport aux repères
3- Disposer à sec une ligne de carreaux sur les deux côtés d'un des quatre rectangles délimités par les cordeaux
   en tenant compte de l'épaisseur des joints
4- Déplacer les cordeaux si ceux-ci ne tombent pas sur un joint
5- Poser deux règles perpendiculaires et de niveau suivant les cordeaux
6- Sceller les carreaux, rectangle après rectangle
7- Exécuter les joints

pose à la marseillaise

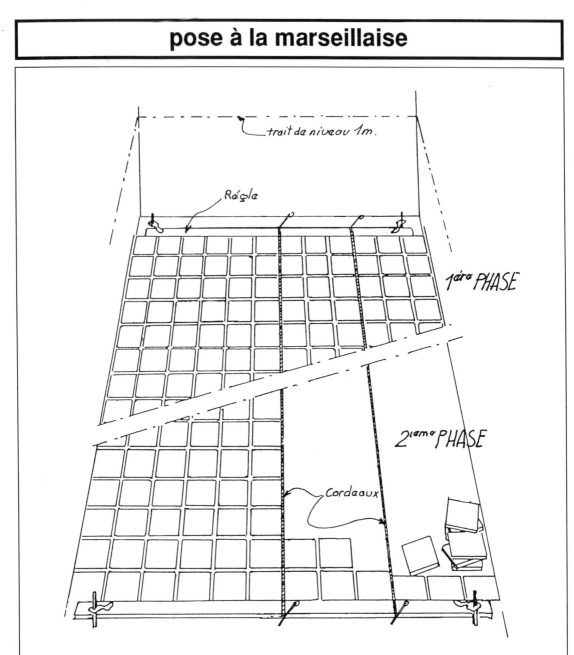

1- Tracer des repères de hauteur
2- Positionner les carreaux à sec le long des deux petits côtés de la pièce en tenant compte de la largeur des joints
3- Poser un cordeau parallèlement au grand côté et au centre de la pièce à l'emplacement d'un joint
4- Poser à sec des carreaux le long du cordeau en tenant compte de la largeur des joints
5- Disposer les carreaux sur toute la surface de la pièce, exécuter les coupes et tenir compte de la largeur des joints
6- Enlever une ligne de carreaux le long des petits côtés
7- Fixer deux règles avec des chevillettes, la face supérieure correspondant à la partie supérieure du carrelage
8- Poser sur les règles deux cordeaux parallèles avec un écartement de 5 à 6 carreaux
9- Enlever les carreaux situés entre les deux cordeaux
10- Pose scellée des carreaux enlevés
11- Déplacer les cordeaux et procéder de même pour les autres files de carreaux
12- Exécuter les joints

3 - Pose des carrelages sur sol

pose à l'espagnole

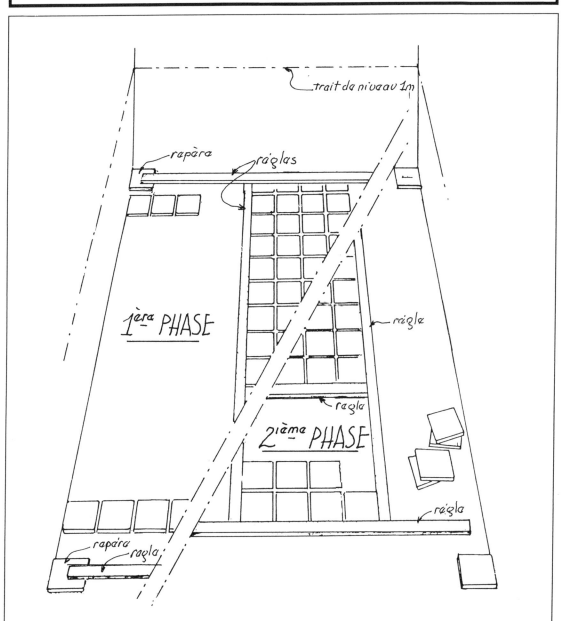

1- Tracer des repères de hauteur
2- Poser sur les repères de hauteur deux règles le long des deux petits côtés de la pièce
3- Positionner à sec deux lignes de carreaux sur les petits côtés en tenant compte de la largeur des joints
4- Installer une règle parallèlement au grand côté pour matérialiser la ligne de départ
5- Déplacer la règle pour la faire coïncider avec la ligne de joints
6- Répartir une ligne de carreaux à sec le long de cette règle
7- Positionner une deuxième règle le long de cette file de carreaux de telle façon que la face supérieure des règles coïncide avec le niveau supérieur du carrelage fini
8- Enlever les carreaux entre les deux grandes règles et poser sur celles-ci deux petites règles perpendiculaires
9- Pose scellée des carreaux dans l'ordre inverse de l'enlèvement

pose scellée

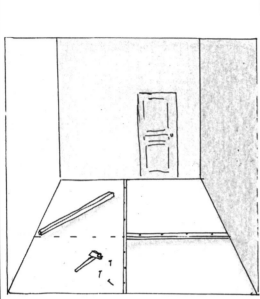

1 - Choisir une méthode de pose
(ici pose au cordeau) Arroser le sol avant
l'application du mortier

2 - Etaler le mortier par petites surfaces, caler
les carreaux en les tapotant avec un maillet à
la bonne hauteur

3 - Vérifier fréquemment le nivellement de
l'ensemble à l'aide d'une règle ou d'un niveau
à bulle

4 - Nettoyer les bavures au fur et à mesure de
la pose avec une éponge humide

pose scellée

Dans la pose scellée les carreaux reposent par l'intermédiaire du mortier de scellement sur son support (chape, forme, isolant, couche de désolidarisation).

Pose adhérente

La pose adhérente est une pose directe sur support sans désolidarisation.

La pose adhérente est interdite sur les supports récents.

On appelle support récent un support fabriqué depuis moins de six mois dans le cas général et depuis moins de un mois en ce qui concerne les dallages. Dans ce type de pose l'épaisseur de mortier est comprise entre 2 et 4 cm sans jamais être inférieure à 1 cm.

Pose désolidarisée

La pose désolidarisée sur isolant n'est autorisée que si celui-ci est non compressible (compressibilité inférieure à 0,5 mm sous 4 bars) ou sur un isolant dont l'épaisseur est inférieure ou égale à 3 mm.

Dans ce mode de pose, la couche de mortier varie de 3 à 6 cm, pouvant être ou non armée d'un treillis métallique.

Pose à la bande

La pose adhérente à la bande est un mode de pose traditionnel qui consiste à répandre le mortier de pose par bandes un peu plus larges que le carreau. Les carreaux sont alignés et scellés bande par bande. Ils sont tapés à l'aide d'une batte avant la prise du mortier.

Pose à la règle

La pose se fait sur des bandes de mortier d'1 m de large environ, tirées à la règle et talochées. On répand sur ces bandes de mortier une barbotine de ciment ou un saupoudrage de ciment pur (ceci est indispensable pour les grès ainsi que tous les carreaux qui ont une faible absorption d'eau). Les carreaux sont battus avant que le mortier ne durcisse.

Mortier de pose

Le mortier sera réalisé avec du sable de rivière ou de carrière d'une granularité de 0,08/5 mm. Il est interdit d'utiliser du sable de dune non lavé.

On pourra utiliser soit des ciments soit des chaux hydrauliques.

Les ciments pourront être :
- soit des CPA gris ou blancs de classe 45 R, 55 ou 55 R conformes à la norme NF P 15-301
- soit des CPJ n°2 ou n°4 de classe 45, 45 R, 55 ou 55 R confomes à la norme NF P 15-301.

Les chaux hydrauliques pourront être :
- soit des chaux de classe XHN 30,60 ou 100
- soit des chaux de classe XHA 60 ou 100.

Pour la pose de pierres naturelles salissantes, il est préférable d'utiliser des ciments blancs ou des mortiers spéciaux.

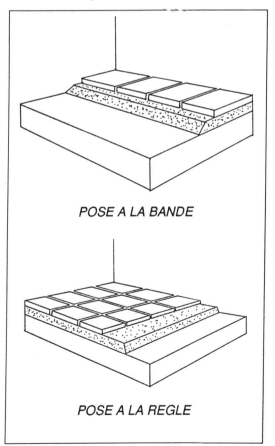

POSE A LA BANDE

POSE A LA REGLE

Pose des carreaux de grès cérame fins vitrifiés

La pose des carreaux de grès cérame fins vitrifiés, émaillés ou non, se fait soit à la bande soit à la règle. On utilise un mortier dosé à 250 à 350 kg de ciment (de classe 35 en général) par m³ de sable. Si l'on utilise un mortier bâtard, il sera dosé à 400 kg pour la pose à la bande et à 360 kg pour la pose à la règle. Les joints pourront être soit réduits soit larges.

Pose des carreaux de grès cérame fins vitrifiés en éléments minces

La pose des ces carreaux se fait avec une épaisseur de mortier de 3 à 4 cm. Le dosage en m³ de sable reste le même que précédemment. Les carreaux de pâte de verre, ainsi que les carreaux de Briare font partie de cette catégorie.

Pour les pâtes de verre, les joints sont remplis au dos de chaque plaque avant la pose. Les plaques sont tapées avec une batte en bois jusqu'à ce que le mortier reflue dans les joints. Le décollement du support des éléments se fait en humidifiant le papier avant que le mortier de pose n'ait pris. La tolérance d'exécution pour la planéité est de 3 mm sous une règle de 2 m. La tolérance est de 1cm pour les cotes de niveau et de 2 mm pour une règle de 2 m en ce qui concerne l'alignement des joints.

Pose des carreaux de grès étirés

La pose des carreaux de grès étirés, émaillés ou non, se fait avec une épaisseur de mortier d'au moins 3 cm.

Le mortier de pose est en général désolidarisé du support par un film polyane. La pose directe ne peut se faire que sur un support ancien.

Le mortier de pose est dosé par m³ de sable à:
- 250 à 350 kg de ciment de classe 35,
- 320 à 400 kg de liant en mortier bâtard.

Les joints peuvent être larges (6 mm) ou très larges (15 mm) suivant la taille des carreaux. Généralement les carreaux sont immergés dans l'eau, puis essuyés juste avant pose.

La tolérance d'exécution pour la planéité est de 3 mm sous une règle de 2 m. La tolérance est de 1cm pour les cotes de niveau et de 2 mm pour une règle de 2 m en ce qui concerne l'alignement des joints.

Pose des terres cuites

La pose des terres cuites doit toujours être désolidarisée du support et comporter dans tous les cas un joint périphérique. Cette pose se fait soit à la règle soit à la bande avec une épaisseur de mortier de 2 à 4 cm. Les dosages du mortier de pose par m³ de sable sont :
- 300 à 350 kg de ciment de classe 35
- 320 à 400 kg de liant pour un mortier bâtard.

Les joints peuvent être larges (6 mm) ou très larges (15 mm) suivant la taille des carreaux. Généralement les carreaux sont immergés dans l'eau, puis essuyés juste avant pose.

Pour faire disparaître les efflorescences blanches de ciment, on utilisera une solution diluée à 10 % d'acide chlorhydrique, puis on lavera l'ensemble du carrelage à grande eau. La tolérance d'exécution pour la planéité est de 3 mm sous une règle de 2 m. La tolérance est de 1 cm pour les cotes de niveau et de 2 mm pour une règle de 2 m en ce qui concerne l'alignement des joints.

Pose des carrelages de ciment

La pose des carrelages de ciment comme les mosaïques de marbre se fait soit à la bande soit à la règle avec une épaisseur de mortier d'au moins 3 cm. Les dosages du mortier de pose par m³ de sable sont :

Pose à la bande :
- 350 kg de ciment de classe 35
- 320 kg de liant pour un mortier bâtard.

Pose à la règle :
- 350 kg de ciment de classe 35
- 320 kg de liant pour un mortier bâtard.

Les joints peuvent être larges (6 mm) ou très larges (15 mm) suivant la taille des carreaux. Généralement les carreaux sont immergés dans l'eau, puis essuyés juste avant pose.

La tolérance d'exécution pour la planéité est de 3 mm sous une règle de 2 m. La tolérance est de 1cm pour les cotes de niveau et de 2 mm pour une règle de 2 m en ce qui concerne l'alignement des joints.

dallages en marbre

Les différents marbres

Le marbre est un calcaire à grains très fins, facile à tailler et à polir. On distingue :

- **les marbres simples unicolores ;**
- **les marbres simples veinés ;**
- **les marbres composés**
  (lumachelles, brèches et brocatelles, qui sont des marbres composés de différentes couleurs);
- **les marbres reconstitués**, réalisés avec du ciment super-blanc HRI 215, dosé à 500 kg pour 1 m² d'éclats de marbre naturel.

Pose

La pose des dalles en marbre pour les éléments de surface inférieure à 450 cm² s'exécute avec les mêmes prescriptions de pose que celles des carreaux de grès cérame. **La pose des dallage en marbre se fait soit à la bande soit à la règle.**

La pose avec bouchons (appelés cabochons) exige une coupe à 45 degrés des quatre coins de la dalle. Les bouchons carrés ont en général de 6,5 à 10 cm de côté et les bouchons ronds 8 cm de diamètre.
Un dallage en marbre demande également des plinthes en marbre.
Il est bon que les dalles soient désolidarisées du support en béton par une feuille de papier kraft ou un vinyle posé entre le support et la forme.
Le dosage des formes stabilisées est de 100 kg XEH par m³ de sable. En cas d'isolation thermique (chape flottante), la feuille de papier kraft ou vinyle sera placée sur l'isolant. On utilisera dans ce cas une forme en mortier de béton maigre plutôt qu'une forme en sable stabilisé. Cette forme aura une épaisseur d'au moins 4 cm et sera dosée à 350 kg de ciment CPA par m³ de sable.

Mortier de pose

Le mortier de pose sera composé par m³ de sable de :
- 300 à 350 kg CPA (de classe 35 de préférence),
- 320 à 400 kg CPA de liant en mortier bâtard
- 400 kg de chaux.
Il sera suffisamment fluide pour pouvoir refluer dans les joints.

Exécution des joints

Les dalles de marbre sont mises en place généralement avec des joints de 16 mm.
Pour les éléments de surface supérieure à 450 cm², de forme géométrique, les joints auront une épaisseur minimale de 1 mm.
Les joints nuls, sauf pour les surfaces de moins de 25 m², sont interdits.
Les joints sont très importants pour l'aspect final du dallage. Ils seront exécutés avec un mortier de ciment blanc teinté, dosé à 900 kg de ciment par m³ de sable. Le coulis sera très fluide pour pouvoir pénétrer dans les joints et étalé à l'aide d'une raclette en caoutchouc. Le nettoyage se fera au fur et à mesure de l'exécution des travaux avec de la sciure de bois blanc.

Tolérances de pose

Chaque dalle sera mise à niveau. On vérifiera la planimétrie des dalles avec un niveau.
La tolérance d'exécution pour la planéité est de 3 mm sous une règle de 2 m. La tolérance est de 1 cm pour les cotes de niveau et de 2 mm pour une règle de 2 m en ce qui concerne l'alignement des joints.
Pour les appareillages en opus incertum le défaut de planéité peut aller jusqu'à 5 mm.

Polissage

Le surfaçage et le polissage s'exécutent avant la pose des plinthes à l'aide d'une machine spéciale comportant un plateau rotatif sur lequel sont fixés des blocs abrasifs. Le travail s'effectue avec de l'eau pour éviter les rayures. Le poli le plus brillant, appelé "poli miroir", s'exécute avec du plomb.

dallages
en ardoise

L'ardoise

L'ardoise est une pierre schisteuse à grains fins qui a la propriété de se déliter en feuilles minces et planes.

Au point de vue chimique, la constitution de l'ardoise varie avec sa provenance, mais toutes les ardoises sont à base de silices et silicates complexes d'alumine (micas). L'ardoise est d'autant meilleure que la proportion d'éléments silicatés est plus importante. Dans l'ardoise d'Angers, très réputée, la proportion est de 98,5 %. C'est le carbone contenu dans l'ardoise qui lui donne sa coloration noire.

La résistance à l'écrasement de l'ardoise d'Angers, suivant un plan perpendiculaire au plan de fissilité, est de 1250 kg/cm². Cette résistance est réduite à 1100 kg/cm² dans le sens du longrain et de 650 kg/cm² dans le sens perpendiculaire. La résistance de l'ardoise augmente avec son épaisseur.

Les principaux gisements de schistes lamelleux donnant des ardoises de différentes colorations sont :

- **Ardoises d'Angers** (Maine-et-Loire): gris bleuâtre
- **Ardoises de Cattemoue** (Mayenne): gris bleuâtre clair
- **Ardoises de Renazé** (Mayenne): gris foncé
- **Ardoises de Port-Launay** (Finistère) : gris
- **Ardoises de Ploermel** (Finistère) : verdâtre
- **Ardoises de Deville** (Ardennes): gris vert
- **Ardoises de Fumay** (Ardennes) : bleu foncé
- **Ardoises de Moulin** (Ardennes): violet
- **Ardoises de Sainte-Anne** (Ardennes): violet

L'ardoise, pour la réalisation de carrelages intérieurs, a en général une épaisseur comprise entre 8 et 10 mm. L'ardoise, pour la réalisation de carrelages extérieurs, a en général une épaisseur d'environ 20 mm.

Pose

La pose se fait de façon identique à celle des marbres, sur un support plan. L'épaisseur totale du dallage fini est égale à l'épaisseur de l'ardoise la plus épaisse, majorée de l'épaisseur du mortier de pose qui est comprise entre 15 et 20 mm. Si les ardoises sont posées sur un lit de sable, celui-ci aura une épaisseur de 20 mm.

Mortier de pose

On utilise du ciment Portland artificiel CPA 35 dosé de 350 kg à 400 kg de ciment par m³ de sable ou 400 kg de liants en mortier bâtard. L'utilisation de ciment contenant comme additif du laitier ou du clinker est déconseillée car il provoque des efflorescences.

Le mortier doit être plastique (pas trop fluide). Il convient de brosser soigneusement la sous-face de l'ardoise en contact avec le mortier.

Pour éviter les taches de mortier, les carreaux doivent être nettoyés avec une éponge humide en cours de pose et pendant l'exécution des joints. En effet, le mortier s'accroche très fortement sur les ardoises, une fois sec il est très difficile de le faire disparaître.

Les joints

Les joints ont en général une épaisseur comprise entre 10 et 15 mm, exécutés avec un coulis de ciment. Ils seront légèrement en creux. Si les dalles en ardoises sont de forme irrégulière, ils auront une largeur minimale de 5 mm. Dans le cas d'une pose en opus incertum, la largeur des joints est libre.

Les sols exposés à des ensoleillements fréquents devront être munis de **joints de dilatation** (remplis de mastic plastique) ou joints de fractionnement.

Coupes et perçages

Les petites coupes sont réalisées à sec avec une scie à métaux. Les coupes plus importantes sont réalisées avec une tronçonneuse à meule tournante (6 000 tours/minute), tandis que les travaux très importants nécessitent l'emploi d'une meule diamant ou meule abrasive munie d'une circulation d'eau.

Les perçages s'exécutent facilement avec une chignole électrique et un foret en acier rapide tournant sans percussion à une vitesse de 600 tours/minute. Les travaux d'ajustage sont exécutés à l'aide d'une lime grosse taille.

Plinthes

On distingue :
- les plinthes droites,
- les plinthes à talon,
- les plinthes à gorges.

Elles peuvent être prévues en tous matériaux, mais si elles sont prévues en carrelage, elles seront scellées avec un mortier de pose de 1 cm d'épaisseur.

Les plinthes droites et à talon sont posées sur le carrelage. Si l'on a prévu un joint périphérique, la plinthe doit être désolidarisée de celui-ci en étant scellée uniquement sur le support vertical. La plinthe à gorge est posée dans le plan du carrelage. Cette disposition permet de relever le niveau du joint périphérique (voir schéma).

Pour les mortiers de pose, on utilise les mêmes que ceux du revêtement de sol.

Seuils

Le seuil est la zone de transition entre les sols de deux pièces communicantes. Le niveau entre ces deux pièces est parfois différent.

Si les revêtements de sol ainsi que les isolants sont différents d'une pièce à l'autre, il convient de relever l'isolant au droit des seuils.

Les seuils extérieurs doivent être traités comme des paliers ou des marches d'escalier.

Dans le cas de perron le revêtement de sol doit respecter le joint de rupture du gros-œuvre. Ce joint rempli d'une matière plastique résiliente sera camouflé par un couvre-joint.

Escaliers

Le support doit être rugueux pour permettre l'accroche du mortier-pose. Le carrelage des marches et des contremarches sera scellé directement sur le support. Les contre-marches recouvrent la marche inférieure. Les plinthes rampantes ou à crémaillère sont posées de façon identique que les plinthes droites.

Cloisons

Les cloisons doivent toujours être posées avant les formes et les revêtements.

Dans le cas particulier des cloisons légères, moins de 150 kg par m de linéaire, celles-ci pourront être posées sur le carrelage à condition que l'épaisseur de la forme au droit de celle-ci soit d'au moins 5 cm avec armature sur les isolants de classe 1 et 2 et d'au moins 6 cm pour les formes sur isolants de classe 3. En ce qui concerne les cloisons mobiles, il faut que le carrelage puisse résister à la pression au droit des points de fixation.

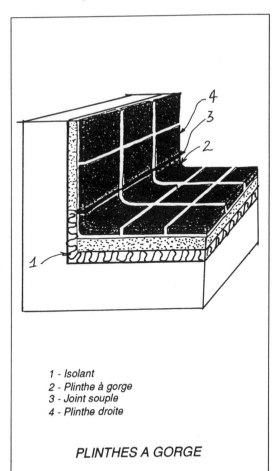

1 - Isolant
2 - Plinthe à gorge
3 - Joint souple
4 - Plinthe droite

PLINTHES A GORGE

pose collée

La pose collée concerne les revêtements intérieurs et extérieurs. Elle ne peut s'envisager qu'à la condition que le sol soit bien plan, lisse, propre et sec. Contrairement à la pose scellée, la colle ici ne peut compenser que de petites irrégularités (5 mm maximum) mais ne pourra en aucun cas rattraper un sol en mauvais état. Le produit utilisé pour la pose est le mortier-colle. Le mortier-colle est une poudre que l'on mélange avec de l'eau et que l'on applique en couche fine et régulière à l'aide d'une spatule crantée.

Les mortiers-colles

On distingue :
- le mortier-colle de type courant,
- le mortier-colle de type épais,
- le mortier-colle de type spécial,
- le mortier modifié par une résine liquide,
- le mortier-colle à liants mixtes incorporés.

Les mortiers-colles de type courant se présentent sous la forme de poudre prédosée en usine. Ils s'utilisent dans des épaisseurs variant de 2 à 4 mm.
Les mortiers-colles de type épais sont de composition identique aux mortiers-colles de type courant mais avec une formulation particulière permettant de les employer avec une épaisseur de 2 à 8 mm. Ils peuvent être à prise normale comme à prise rapide.
Les mortiers-colles de type spécial s'utilisent en très forte épaisseur sans dépasser 10 mm.
Les mortiers-colles modifiés par une résine liquide se présentent sous la forme de produit tout prêt à mélanger sur le chantier et ont des caractéristiques plus performantes.

Un sol plan en bon état

La pose collée ne peut s'effectuer que sur un support plan et en bon état. Pour la pose en extérieur, il doit avoir sur toute sa surface une pente de 1 % pour permettre l'écoulement des eaux.

Il doit être propre, c'est-à-dire débarrassé de tout dépôt, trace de peinture, laitance de ciment ou pellicule de plâtre. Ce support doit être sec et ne pas présenter de trace d'humidité.
La température joue également un rôle important lors de la pose, qui ne peut pas être réussie sur un sol dont la température est trop froide, c'est-à-dire inférieure à 5°, ou trop chaude, c'est-à-dire supérieure à 30° (cas des planchers chauffants).
Il est interdit d'effectuer une pose sur un plancher "récent". On appelle plancher récent un plancher réalisé depuis moins de un mois dans le cas d'un dallage de terre-plein.
Avant la pose, le sol (support) doit être soigneusement dépoussiéré. Par temps chaud et sec, il est préférable d'humidifier le support avant la pose surtout si celui-ci est poreux.
Si le sol n'est pas parfaitement plan, il faudra procéder à un ragréage. Ce ragréage peut s'effectuer :
- soit avec des mortiers-colles de type courant pour des épaisseurs inférieures à 4 mm,
- soit avec un mortier-colle épais pour une épaisseur inférieure à 7 mm,
- soit au moyen de mortiers-colles spéciaux dans la limite de 1 cm.
Pour les sols intérieurs, le ragréage pourra être fait avec un produit de lissage classé P3 (voir chapitre 1).

Préparation de la colle

Pour les mélanges, il convient de respecter les proportions indiquées par le fabricant et de laisser reposer la colle dix minutes avant de l'utiliser (sauf indication contraire). Le malaxage mécanique doit être effectué à vitesse lente. Si l'on utilise du mortier-colle à prise rapide, il est conseillé de le fabriquer en petites quantités.

Application de la colle

La colle est appliquée à l'aide d'une spatule dentelée adaptée au produit (voir schéma), au fur et à mesure sur des petites surfaces de 1 à 2 m².
La consommation moyenne de colle par simple encollage au m² est de :

---

3 - Pose des carrelages sur sol

choix des types de supports

Ouvrages	Support non chauffant	Support chauffant
Dallage sur terre-plein Sans chape incorporée (dallage avec finition "béton surface soignée")	A	B
Avec chape incorporée à l'intérieur des locaux	A	B
à l'extérieur des locaux	A	
Plancher en dalle pleine béton coulée en œuvre avec ou sans prédalle	B	C
Plancher béton à poutrelles et entrevous (avec ou sans isolant thermique) Avec table de compression continue sur vide sanitaire ou local non chauffé	D	D
en plancher intermédiaire	C	C
Sans table de compression	D	
Plancher béton alvéolaire sans table de compression	D	
Plancher béton alvéolaire avec table de compression continue sur vide sanitaire ou local non chauffé	D	
en plancher intermédiaire	C	
Plancher collaborant (acier-béton) sur vide sanitaire ou local non chauffé	D	D
En plancher intermédiaire	C	C
Dalle flottante (rapportée)	A	B
Forme de protection d'étanchéité en toiture-terrasse	A	
Chape rapportée Chape adhérente	B	D
Chape flottante	A	

- **A:** support admissible en pose collée directe sans dispositions particulières.
- **B:** support admissible en pose collée directe :
  - au moyen d'un mortier-colle à liants mixtes incorporés ou d'un mortier-colle modifié par une résine liquide ou au moyen d'un système à deux composants,
  - moyennant une pose à joints supérieurs à 2 mm, un joint périphérique systématique,
  - les surfaces étant fractionnées au maximum tous les 6 m linéaires.
- **C:** dito support B mais limité à une surface continue de béton non fissuré pour des pièces d'une superficie de moins de 10 m².
- **D:** support non admissible en pose collée directe.

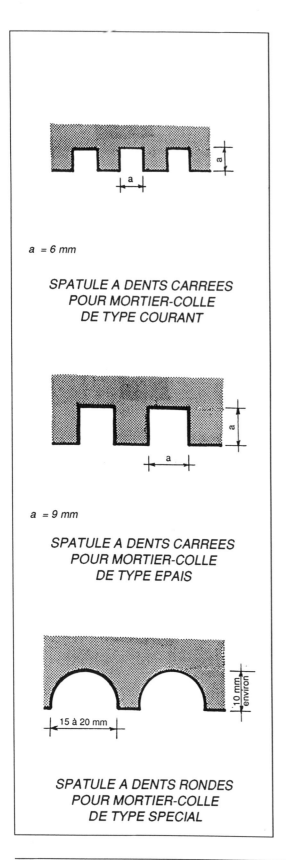

a = 6 mm

*SPATULE A DENTS CARREES
POUR MORTIER-COLLE
DE TYPE COURANT*

a = 9 mm

*SPATULE A DENTS CARREES
POUR MORTIER-COLLE
DE TYPE EPAIS*

15 à 20 mm

10 mm environ

*SPATULE A DENTS RONDES
POUR MORTIER-COLLE
DE TYPE SPECIAL*

- 2 à 3 kg pour un mortier-colle de type courant,
- 3 à 5 kg pour un mortier-colle de type épais,
- 5 à 6 kg pour un mortier-colle de type spécial.

La consommation de colle pour une pose à double encollage au m² est de :
- 3 à 4 kg pour un mortier-colle de type courant,
- 5 à 7 kg pour un mortier-colle de type épais,
- 6 à 10 kg pour un mortier-colle spécial.

Mise en place des carreaux

Les carreaux sont posés sur la colle et marouflés, c'est-à-dire appuyés fortement à la main et vibrés de manière à écraser les sillons de colle. La pose en intérieur se fait généralement par simple encollage alors que la pose en extérieur se fait le plus souvent en double encollage, c'est-à-dire en encollant les carreaux sur l'envers avec une truelle avant de les poser sur le sol couvert de colle.

Joints entre les carreaux

Les carreaux sont posés généralement à joints réduits d'environ 2 mm, parfois à joints larges de 2 à 8 mm, parfois à joints très larges de 6 à 15 mm (carreaux de terre cuite et grès étirés).

Joints de fractionnement

La pose collée, comme la pose scellée, doit respecter les joints de dilatation et de retrait du gros-œuvre. En général, toute surface supérieure à 60 m² doit être fractionnée, ainsi que les couloirs pour une longueur supérieure à 8 m. Les joints de fractionnement sont exécutés sur toute l'épaisseur du mortier-colle et du carrelage. Ils doivent être d'une largeur d'au moins 3 mm et remplis de matière plastique.

Joints périphériques

Il est obligatoire pour toute surface supérieure à 15 m² de créer un vide sur tout le pourtour de la pièce entre les parois verticales des murs, des cloisons et des poteaux avec la dernière rangée de carreaux.

Tolérances de pose

Les tolérances de pose sont les mêmes que celles de la pose scellée.

pose collée

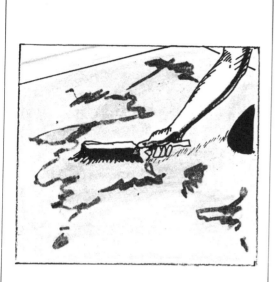

1 - *Après ragréage éventuel, nettoyage du sol, enlèvement des traces de peinture, de graisse et de plâtre. Ponçage éventuel. Dépoussiérage de toute la surface à la brosse.*

2 - *Vérifier la planéité de l'ensemble, choisir une méthode de pose (pose au cordeau, pose à l'espagnole, pose à la marseillaise), tracer les repères de niveaux et les axes de pose.*

3 - *Préparer le mortier-colle en suivant le mode d'emploi du fabricant, en petite quantité, et étaler celui-ci sur une surface d'1 m² environ à l'aide d'une truelle.*

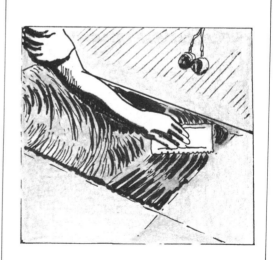

4 - *Répartir soigneusement le mortier-colle à la spatule dentelée de façon à former des cordons parallèles d'épaisseur régulière.*

---

pose collée

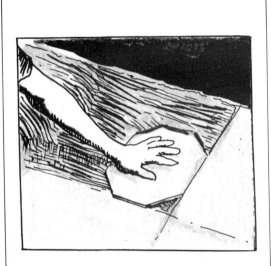

5 - Poser le 1er carreau sur la surface encollée et maroufler en appuyant fermement le carreau pour écraser les cordons de mortier-colle.

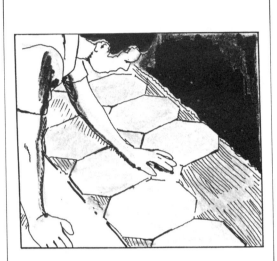

6 - Poser les carreaux suivants en conservant entre eux un joint d'une épaisseur égale, sans être inférieure à 2 mm.

7 - En posant la dernière rangée de carreaux au droit des murs, cloisons et poteaux, tracer les différentes coupes avec un crayon, en respectant un vide de 3 mm.

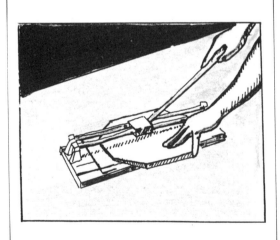

8 - Couper les carreaux suivant le tracé. Rayer le carreau en utilisant une machine à couper et casser celui-ci en tapant sur l'envers du carreau sous la rayure avec un marteau.

pose collée

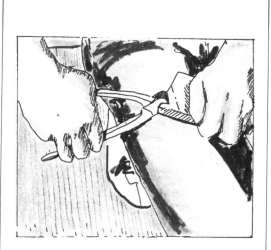

9 - Les petites découpes seront faites à la tenaille après traçage de la coupe à la machine.

10 - Pour réaliser les joints, étaler la barbotine sur toute la surface du carrelage, et faire pénétrer celle-ci dans les joints à l'aide d'une raclette en caoutchouc passée en tous sens.

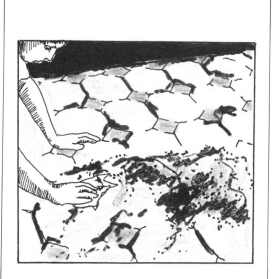

11 - Saupoudrer la surface de ciment pur pour bien garnir les joints et éliminer le surplus avec la raclette en caoutchouc.

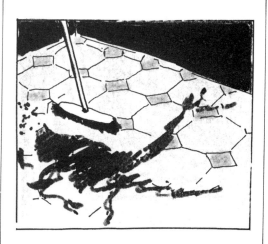

12 - Nettoyer en saupoudrant toute la surface de sciure de bois blanc et en frottant avec un chiffon. Balayer lorsque la sciure aura absorbé le surplus de ciment.

coulage des joints

Coulis de ciment

Les joints seront remplis avec un coulis constitué de mortier fluide.

Les coulis seront exécutés avec des ciments, des chaux et des sables identiques à ceux prévus pour les mortiers de pose.

Les coulis seront exécutés soit en ciment pur, soit en mortier de ciment dosé à 800 kg de liant par m³ de sable sec, soit en mortier spécial pour joint à base de ciment prêt à l'emploi, soit au mortier de chaux dosé à 600 kg de liant par m³ de sable sec.

Le sable employé pour la réalisation des mortiers aura une granularité faible. On appelle joint réduit un joint inférieur à 2 mm, joint large, celui compris entre 2 et 10 mm, et joint très large celui supérieur à 10 mm.

Le coulis sera gâché en faible quantité et fluide pour bien pénétrer dans les joints. Le mortier doit être plastique.

Coulage des joints

Avant la prise du mortier de pose, c'est-à-dire avant la pose totale des carreaux si le local est grand, le coulis sera répandu sur le carrelage préalablement mouillé, puis balayé en tous sens. Avant qu'il ne soit sec, le coulis en excès est enlevé avec une raclette en caoutchouc. Il est préférable de passer la raclette en biais pour éviter de dégarnir les joints. Le nettoyage se fait à l'aide d'une éponge humide, puis en répandant de la sciure de bois blanc légèrement humide. Il faut éviter l'utilisation de sciure de chêne ou de châtaignier, qui contiennent du tanin susceptible de tacher le carrelage.

Nettoyage final

Le nettoyage final se fait trois ou quatre jours après. Le ciment est alors complètement sec et le voile blanchâtre qui reste à la surface des carreaux se nettoie à l'aide d'une serpillière trempée dans une solution contenant 10 % d'acide chlorhydrique, puis on rince à grande eau. Cette opération peut être répétée plusieurs fois.

Doc: INALCO - Stone gris

exécution des joints

1 - Etendre le coulis de ciment sur toute le surface du carrelage.
2 - Balayer en tous sens pour faire pénétrer le coulis dans les joints.

3 - Attendre 20 minutes puis retirer l'excédent en passant une raclette on caoutchouc en diagonale par rapport aux carreaux.
4 - Nettoyer avec une éponge humide.

5 - Pour absorber la laitance de ciment, répandre de la sciure de bois blanc sur toute la surface.
6 - Deux heures après, retirer la sciure et nettoyer avec un chiffon.

7 - Trois à quatre jours après, pour faire disparaître les efflorescences de ciment, passer une serpillière trempée dans une solution contenant 10 % d'acide chlorhydrique.
8 - Nettoyer rapidement à grande eau.

Doc: REX- Série Umbria

3 - **P**ose des carrelages sur sol

Doc: Philippe TOURY

3 - **P**ose des carrelages sur sol

Doc: CERABATI - Romain Pêche

Doc: BUCHTAL - Gamme Keraion

3 - Pose des carrelages sur sol

Doc: CARRE - Gamme Méditerranée

Doc: PANARIA CERAMICA

3 - Pose des carrelages sur sol

Doc: MIRAGE

3 - **P**ose des carrelages sur sol

Doc: AROLLA

3 - Pose des carrelages sur sol

carrelage mural

POSE EN DIAGONALE
DOC: VILLEROY ET BOCH

choix des carreaux

Les carreaux de céramique pour le revêtement des murs sont d'un choix très varié. On distingue : les faïences, les terres cuites, les grès, avec une grande diversification de décors et de couleurs. Le mode de pose reste identique.

Le carrelage mural est fixé par collage sur les murs à l'aide de ciment-colle ou de colles prêtes à l'emploi. Les ciments-colles sont des poudres à mélanger à l'eau pour former un mortier tandis que les colles prêtes à l'emploi sont à base de résines synthétiques. Le choix du produit est fait en fonction du carreau et de la facilité d'emploi.

Choix des carreaux

Un carreau sera surtout choisi en fonction de ses couleurs et de son décor, mais aussi en fonction de son épaisseur. Les carreaux de faible épaisseur sont en effet plus faciles à poser. Pour une facilité d'entretien, on choisira les carreaux émaillés non poreux.

Les faïences et les grès émaillés sont les carreaux les plus fréquemment employés en carrelage mural. Ils sont totalement étanches, ce qui limite leur entretien à un simple coup d'éponge.

Les principaux carreaux muraux sont :
- les faïences,
- les grès émaillés,
- les émaux,
- les terres cuites,
- les pâtes de verre,
- le Kéraflair,
- les marbres et pierres.

La faïence

La faïence est l'un des matériaux les plus employés, fabriquée à partir d'une terre cuite relativement tendre recouverte d'un émail cuit au four, la rendant imperméable. Elle est, compte tenu de sa fragilité, déconseillée pour les revêtements de sol.

Les grès émaillés

Ce sont des revêtements plus résistants. La cuisson à haute température en fait un produit inaltérable. Ils sont d'un prix plus élevé que celui de la faïence.

Les émaux vitrifiés

Ce sont des revêtements réalisés à base de pâte de verre. Ils existent dans une gamme de coloris très variés et conviennent aussi bien au sol qu'au mur.

La terre cuite

Les carreaux de terre cuite sont réalisés à partir d'argile naturelle. Les teintes varient du beige rosé au brun foncé. Il est déconseillé, compte tenu de leur porosité, de les poser sur les murs dans les pièces humides, sauf s'ils ont été préalablement imperméabilisés.

GRES EMAILLE AVEC FRISE
DOC: Les Grès du Maine

EMAIL VITRIFIE MOTIF ECAILLE
DOC: Emaux de Briare

Pâte de verre

La pâte de verre est préparée à froid puis soumise à une haute température de fusion. Elle offre une très large variété de coloris et son prix est avantageux.

Le Kéraflair

Le Kéraflair est un produit nouveau bien adapté à la rénovation. Sous une faible épaisseur (2,3 mm) il offre une résistance égale à celle du grès. Il est très léger (5 kg/m²) et très facile à couper. Des baguettes permettent d'obtenir une finition soignée. Il existe en 6 coloris différents.

Le marbre

Le marbre est une roche composée de carbonate de calcium cristallisé (calcite) ou de carbonate double de calcium et de magnésium (dolomie). Ce sont des pierres à densité élevée (environ 2 600 kg/m³)qui peuvent être très finement polies.
Leur résistance à la rupture sous charge est comprise entre 1 200 et 1 500 kg/ cm².

La brèche de marbre, qu'il ne faut pas confondre avec les brèches reconstituées de types granitaux, est une agglomération de roches marbrières liées par des ciments naturels. Les brèches ont des qualités voisines de celles du marbre. Le marbre est employé en dallage de sol, en carrelage mural, en intérieur comme en extérieur. Cependant, certains marbres ne peuvent pas être utilisés en extérieur et ne résistent pas à l'action de l'humidité, surtout à cause du gel. Certains marbres peuvent se décolorer dans le temps sous l'action de la lumière.

Pour la pose murale intérieure, les placages se font comme pour des carrelages ordinaires par collage. Sauf dans le cas de grands formats ou ils devront être agrafés.

A l'extérieur, les dalles de marbre, en pose murale, sont agrafées comme les autres revêtements de pierre. Seuls les petits formats pourront être posés au mortier-colle.

Classification par tonalités des principaux marbres et pierres marbrières :

- **Blancs** (fond crème ou fond bleuté) : Arabesco, Arni, Alto, Carrare, Chanterie, Palombin, Paonazzo, Piastraccia, Saint-Béat, Statuaire.

- **Beiges :** Balacet, Botticino, Comblanchien, Escalette, Faron, Hauteville, Larrys moucheté, Lunel, Napoléon, Rocheret, Tourris, Travertins (marocain, romain, tchèque, toscan).

- **Bleus :** Chanteuil, Bleu fleuri, Bleu du Portugal, Lumachelle, Saint-Rémy, Bleu Turquin.

- **Noirs** (fond noir uni, ramagé ou veiné) : Basècles, Bleu belge, Noir belge, Brèche orientale des Pyrénées, Grand-Antique, Coquillé d'Izeste, Jaspé, Rubané, de Sablé, St-Laurent veiné, Portor.

- **Gris :** Bois-Jourdan, Bois-Ramage, Chomérac, Gris des Ardennes, Gris du Maroc, Paloma, Ste-Anne belge, Ste-Anne des Pyrénées, St-Jean fleuri, San Gavino, Sarancolin.

- **Jaunes :** Brèche d'Alep, Brocatelle, Coquillé de Provence, Jaunes Brignoles, Jaunes de Sienne, Jaune Mori, Orange Varois, Villon, Jaune de Valore.

- **Roses :** Brèche romaine, Chassagnes, Comblanchien rosé, Prémaux, roses Aurore, corail de Brignoles, de Norvège, Phocéan.

- **Rouges :** Brèches de Salernes, Griotter, Languedoc turquin, Malplaquet, rouges Alicante, Antique, Léopard (belge), Byzantin, Etrusque, de Flandre, de France, Holla, Incarnat, Levanto, Royal, de Vérone.

- **Verts :** Campan, Cipolin, verts des Alpes, d'Estours, du Levant, de Suède, de la Roja, de Tende, Tinos.

- **Violets :** Brèche de Médicis, Brocatelle violette, fleur de pêcher, Violet de Brignoles, Violine.

CARRELAGE AVEC FRISES ET MOTIFS EN RELIEF
DOC: CARRE

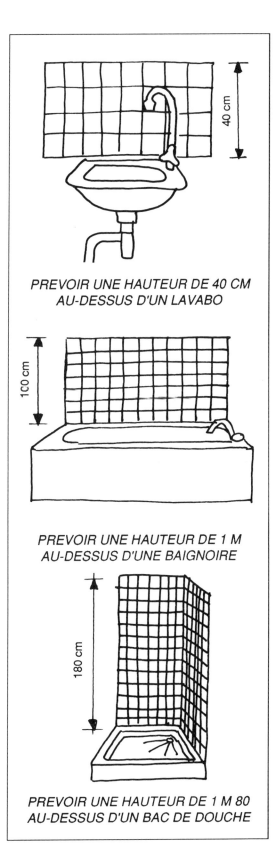

PREVOIR UNE HAUTEUR DE 40 CM AU-DESSUS D'UN LAVABO

PREVOIR UNE HAUTEUR DE 1 M AU-DESSUS D'UNE BAIGNOIRE

PREVOIR UNE HAUTEUR DE 1 M 80 AU-DESSUS D'UN BAC DE DOUCHE

 # dispositions, implantations

Décors

Il existe aujourd'hui des carreaux muraux décorés à inclure parmi des carreaux de teinte unie. Ce sont des solutions "décors". Il existe des décors simples comprenant un seul décor par carreau ou des décors réalisés par l'assemblage de plusieurs carreaux décorés (fresque, frise, et entourage). En général, les carreaux décorés sont vendus à l'unité en complément des carreaux de teinte unie avec lesquels ils s'assortissent.

Implantations

Avant de commencer le carrelage, il est préférable d'établir un plan d'implantation, même schématique, ne serait-ce que pour prévoir la quantité de carreaux à acheter. Pour calculer cette quantité il n'est pas nécessaire de tenir compte de l'épaisseur des joints qui ne représente que 2 % de la surface des carreaux. En revanche, il faudra prévoir l'ensemble des coupes au droit des bordures. Il est bon de prévoir un peu plus de carreaux pour faire face au remplacement des carreaux cassés ou abîmés, sachant que pour une même référence la teinte des carreaux peut varier d'une fabrication à l'autre.

Comme le montrent les schémas ci-contre, on prévoit généralement au-dessus des lavabos une hauteur minimum de 40 cm.

Dans la cuisine, il faut carreler non seulement le plan de travail, mais également toutes les parties verticales situées entre le plan de travail et les éléments hauts.

Sur le pourtour de la baignoire, on prévoit généralement une hauteur minimum de 1 m.

Sur le pourtour d'une douche, cette hauteur minimum est de 1 m 80.

Dans les salles de bains et les salles d'eau, on pose très souvent le carrelage sur toute la hauteur ou jusqu'à une hauteur située à 30 cm du plafond.

Autour des fenêtres et des portes, il est préférable, pour des raisons esthétiques, de répartir le carrelage symétriquement.

outillage

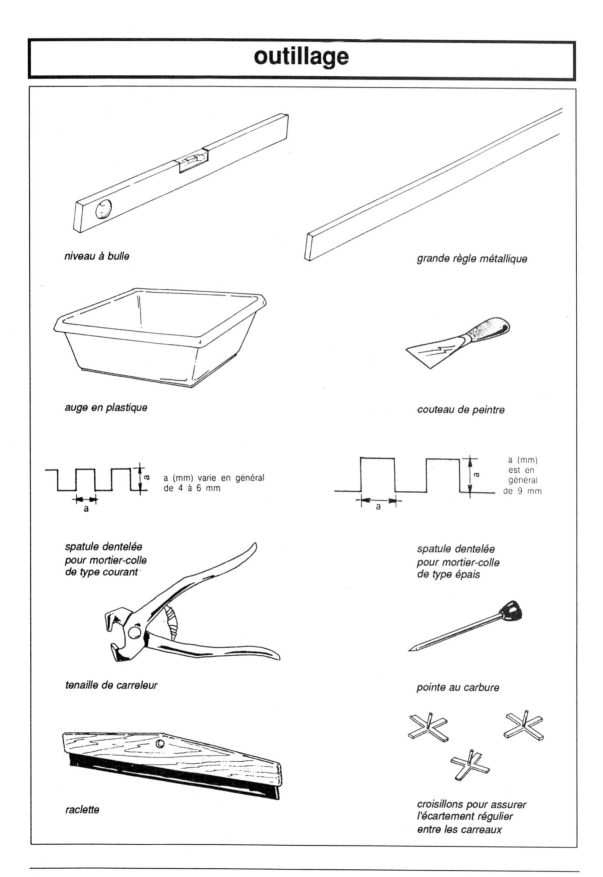

niveau à bulle

grande règle métallique

auge en plastique

couteau de peintre

a (mm) varie en général
de 4 à 6 mm

a (mm)
est en
général
de 9 mm

spatule dentelée
pour mortier-colle
de type courant

spatule dentelée
pour mortier-colle
de type épais

tenaille de carreleur

pointe au carbure

raclette

croisillons pour assurer
l'écartement régulier
entre les carreaux

```
┌─────────────────────────────────────┐
│  ┌───────────────────────────────┐  │
│  │      N° de fabrication        │  │
│  │  9/259        M        1284   │  │
│  └───────────────────────────────┘  │
│  ┌───────────────────────────────┐  │
│  │      Mortier-colle (*)        │  │
│  │   courant – épais – spécial   │  │
│  └───────────────────────────────┘  │
│  ┌───────────────────────────────┐  │
│  │  Pose de revêtements céramiques│  │
│  │        et similaires          │  │
│  └───────────────────────────────┘  │
│  ┌───────────────────────────────┐  │
│  │      AVIS TECHNIQUE N°        │  │
│  └───────────────────────────────┘  │
│  ┌───────────────────────────────┐  │
│  │    Désignation commerciale :  │  │
│  │                               │  │
│  │                               │  │
│  └───────────────────────────────┘  │
│  ┌───────────────────────────────┐  │
│  │  Supports admis (*) :         │  │
│  │  – Murs extérieurs (') :      │  │
│  │    - enduit au mortier        │  │
│  │  – Murs intérieurs (') :      │  │
│  │    - enduit au mortier        │  │
│  │    - plaques de plâtre        │  │
│  │      enrobées de carton       │  │
│  │  – Sols intérieurs :          │  │
│  │    - béton ou chape de        │  │
│  │      mortier de ciment        │  │
│  │  – Sols extérieurs :          │  │
│  │    - béton ou chape de        │  │
│  │      mortier de ciment        │  │
│  └───────────────────────────────┘  │
│  ┌───────────────────────────────┐  │
│  │ Dimensions des carreaux à      │  │
│  │ coller :                      │  │
│  │ se reporter aux Cahiers des    │  │
│  │ Prescriptions Techniques       │  │
│  │ ad hoc et à l'Avis Technique  │  │
│  └───────────────────────────────┘  │
└─────────────────────────────────────┘
```

*ETIQUETAGE TYPE
DU CSTB
CONCERNANT LES
MORTIERS-COLLES*

Choix d'une colle

Traditionnellement, les carreaux étaient posés au plâtre ou au mortier. Aujourd'hui on utilise des produits synthétiques prêts à l'emploi, de meilleure qualité et plus faciles d'emploi.

Les produits les plus couramment utilisés se regroupent en deux grandes familles :

- **les ciments-colles,** que l'on gâchait avec de l'eau et qui conviennent tout particulièrement à la pose des faïences sur les supports en plâtre (exemple: "Carrofix W"de Cegecol et "Cermicoml SP" de Desvres).

- **les adhésifs sans ciment,** qui sont prêts à l'emploi, résistent à l'humidité et adhèrent rapidement en évitant que les carreaux ne glissent. Ils peuvent pratiquement être utilisés sur tout support, mais ne permettent pas de rattraper les irrégularités du fond (exemple : "Fermafix" de Weber et Broutin, "Cermifix" de Desvres, "Carropate" de Cegecol, "Stickfix'adhésif" de GMC).

Choix d'une colle en fonction du support

	Mortier-colle	Ciment-colle	Mastic adhésif	Colle époxy
Béton, briques	X			
Enduits, ciment	X			
Plâtre		X	X	
Plâtre cartonné	X	X	X	
Bois et panneaux			X	
Plastique, peintures			X	
Carreaux émaillés			X	X
Carreaux non émaillés	X	X		X
Métaux				X

préparation du support

1 - Brossez à l'aide d'une brosse métallique les plâtres anciens. S'ils s'effritent, passez une légère couche d'enduit.

2 - Dans le cas d'une peinture en fond, griffez-la dans tous les sens avec un couteau pointu et si la peinture se décolle en plaques, décapez-la complètement.

3 - Le papier peint devra être décollé avant la pose d'un carrelage.

4 - Le béton brut devra être enduit avant la pose d'un carrelage.

Préparation du mortier-colle

Mortiers-colles et ciments-colles sont des produits vendus en poudre à mélanger avec de l'eau. On prévoit généralement 1 kg de produit par m² de carrelage. Pour les proportions de mélange avec l'eau, il convient de se reporter aux prescriptions du fabricant. En général, on laisse reposer la pâte dix minutes avant application. Il est préférable de préparer le produit en petite quantité car la pâte gâchée, une fois prête, sèche rapidement.

Le mastic adhésif est une pâte directement prête à l'emploi. Il faut en prévoir environ 1 kg par m² de carrelage.

La colle époxy est réservée pour les utilisations spéciales. Elle est vendue en deux composants (résine et durcisseur) à mélanger au moment de l'emploi.

Le support doit être propre et soigneusement dépoussiéré. Dans le cas d'un support en béton, si celui-ci a un aspect de surface lisse, on pourra opérer un brossage mécanique ou un lavage à l'eau sous pression.

Un support en béton doit être exempt d'huile de décoffrage.

Dans le cas d'un enduit frais, la pose des carreaux doit s'effectuer après un délai de trois semaines. Si le support est en béton, il faut attendre un délai de deux à trois mois après l'achèvement du gros-œuvre avant le collage des carreaux céramiques.

Le collage ne doit jamais s'effectuer sur un support qui ressue l'humidité.

 # préparation du support

 # préparation de la pose

Etat du support

Le support peut être soit de l'enduit de mortier de ciment ou bâtard, soit en béton, soit en carreaux de plâtre, soit en plaques de parement en plâtre à faces cartonnées. Le support quel qu'il soit doit être plan, c'est-à-dire avoir une tolérance de planéité :
- inférieure à 5 mm sous une règle de 2 m et de 2 mm sous une règle de 20 cm, pour la pose au mortier-colle de type courant,
- inférieure à 7 mm sous une règle de 2 m et de 2 mm sous une règle de 20 cm pour la pose au mortier-colle de type épais.

Si l'on désire réparer des trous ou défauts localisés, on peut soit utiliser du mortier-colle de pose, soit utiliser un produit de ragréage qui ne soit pas incompatible avec le mortier-colle.

Le traçage préalable

Dans tous les cas, pour réussir une pose, il est préférable de réaliser un traçage préalable.

Ce travail est souvent simple et rapide, et peut éviter des erreurs coûteuses.

Il est important de poser le carrelage dans un ordre cohérent ne serait-ce que pour aligner et prolonger les joints sur les plans verticaux et horizontaux. Pour obtenir un ensemble harmonieux, il convient de repérer avec soin la rangée de départ qui conditionne l'emplacement des coupes finales de la dimension rectifiée des derniers carreaux. Le tracé préalable s'effectue par la pose provisoire de guides constitués par deux lattes de bois. La position de ces guides est déterminée de façon à ce que les raccords de carrelage soient autant que possible

préparation de la pose

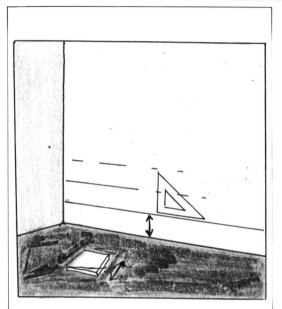

1 - Tracer un trait horizontal à la hauteur d'un carreau à partir du sol.

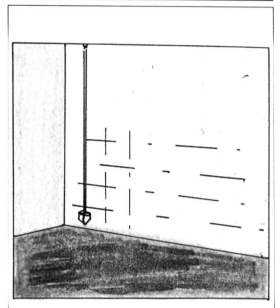

2 - Tracer à l'aide d'un fil à plomb un trait vertical dans un angle de la pièce qui soit la limite de la dernière rangée de carreaux pleins.

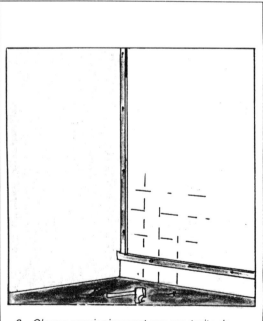

3 - Clouer provisoirement sur ces traits des lattes en bois qui serviront de guides pour le démarrage de la pose des carreaux.

4 - Retirer les guides lorsque tous les carreaux entiers ont été posés.

4 - Carrelage mural

symétriques par rapport à l'ensemble de la pièce. Les deux guides seront posés parfaitement perpendiculaires et réglés par rapport à l'horizontale et à la verticale, et non pas par rapport aux murs, sols et plafonds.

Débuter la pose

Pour savoir où débuter la pose de carreaux pleins, il faut déterminer la largeur des raccords qui devront être répartis symétriquement dans la pièce. Le guide horizontal sera placé à l'aide d'un niveau à une hauteur d'un carreau (plus l'épaisseur du joint) à partir du niveau du sol. La règle verticale sera placée dans un angle de la pièce et positionnée à l'aide d'un fil à plomb. On vérifiera en posant quelques carreaux à sec que les deux guides sont bien perpendiculaires. Les guides seront cloués provisoirement et retirés lorsque tous les carreaux entiers auront été posés.

Plan de travail

Dans une cuisine ou dans une salle de bains, on pose souvent le carrelage horizontalement sur le plan de l'évier ou du lavabo. Pour que ces surfaces horizontales soient étanches, il convient de les carreler avant de carreler les murs. Ainsi, en partie basse, les carreaux reposent sur la dernière rangée qui recouvre le plan. Cette disposition réduit les infiltrations d'eau.

Entourage de fenêtre

Suivant l'importance de la fenêtre dans le décor de la pièce, le carrelage sur le pourtour de celle-ci peut s'effectuer de deux façons différentes.
La première solution consiste à démarrer la pose de part et d'autre de la ligne médiane de la fenêtre. Le premier carreau se colle à cheval sur ce tracé, les suivants étant posés à droite et à gauche de celui-ci. Le long de l'huisserie à droite et à gauche, les carreaux seront recoupés.
La deuxième solution, moins employée, est plus esthétique. Elle consiste à poser à droite et à gauche de l'huisserie des carreaux pleins. Le collage sous la fenêtre se poursuit des bords vers la ligne médiane. Le carreau du milieu recoupé à la dimension fera la jointure.

Simple encollage ou double encollage

La mise en place des carreaux se fait par simple ou double encollage (voir début du chapitre). Dans le simple encollage, la colle est posée uniquement sur le support, tandis que, pour le double encollage, les carreaux sont encollés à l'arrière à l'aide d'une truelle puis appliqués sur le support recouvert de colle.

Spatule dentelée

La colle est étalée sur le support à l'aide d'une truelle ou d'un platoir puis répartie à l'aide d'une spatule dentelée, adaptée au produit. On procède par petites surfaces de 0,5 m².
Les caractéristiques de la colle permettent une pose sans risque de glissement des carreaux. Ceux-ci sont préparés en fonction du décor.

Temps ouvert

Il est important de ne pas dépasser le temps ouvert de la colle, c'est-à-dire le temps à partir duquel la colle une fois posée perd ses qualités adhésives. Le temps ouvert est donné par le fabricant de la colle pour des conditions normales de température, c'est-à-dire comprise entre 15 et 20°. Pour des températures plus faibles ou plus fortes, le temps ouvert est respectivement plus long ou plus court. Il faut en tenir compte lors de l'application.

Marouflage

Les carreaux sont battus à l'aide d'une batte à carreleur de manière à écraser les sillons de mortier-colle.

Joints

Les joints sont choisis en fonction de la nature et du format des carreaux. Ils peuvent être

pose des carreaux

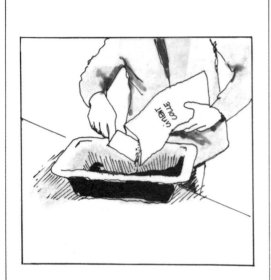

1 - Préparer le ciment-colle en petites quantités pour respecter le temps d'ouvrage du produit. Suivre scrupuleusement le mode d'emploi du fabricant.

2 - Etaler le ciment-colle sur une petite surface (50 cm environ) à l'aide d'une truelle ou d'un platoir.

3 - Peigner le ciment-colle à la spatule dentelée adaptée à la colle choisie.

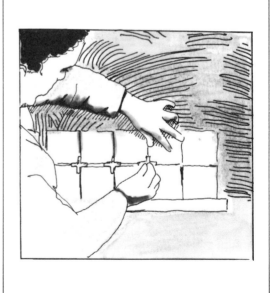

4 - Poser les carreaux en utilisant éventuellement des croisillons d'espacement.

pose des carreaux

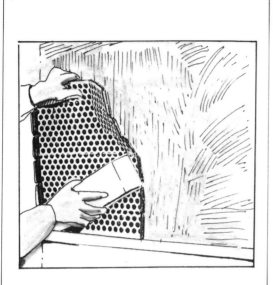

5 - Maroufler en pressant fortement avec la main ou en utilisant une batte de carreleur dans le cas de carreaux grand format ou de mosaïque.

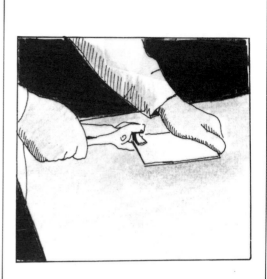

6 - Effectuer les coupes et percements à l'aide des outils appropriés (molette au carbure de tungstène, pinces de carreleur, machine à couper, etc.)

7 - Garnir les joints à la barbotine ou au ciment-colle spécial pour joints à l'aide d'une raclette en caoutchouc.

8 - Nettoyer à l'éponge, à l'eau claire avant que la barbotine ne soit sèche. Puis passer un chiffon sec.

réduits (jusqu'à 2 mm), à joints larges (de 2 à 10 mm) et à joints très larges (10 à 15 mm). Les carreaux de terre cuite ou les carreaux de grès étirés doivent être posés avec un joint d'au moins 6 mm.

Joints réguliers

Pour obtenir des joints réguliers, il est recommandé d'utiliser des croisillons d'espacement.

Joints colorés

Il est possible aujourd'hui de réaliser des joints colorés. Il s'agit soit d'une poudre colorante à mélanger à la barbotine, soit d'un mortier pigmenté prêt à l'emploi. En ce qui concerne la couleur, celle-ci est affaire de goût. Il faut cependant se méfier du blanc ainsi que des couleurs claires qui sont plus salissantes.

Garnissage des joints

Le garnissage des joints est effectué avec un mortier très liquide, appelé couramment barbotine. La barbotine est réalisée avec du ciment pur mélangé à du sable très fin. Mais il existe également des mortiers spéciaux prêts à l'emploi.

Si les joints sont fins, on peut utiliser du ciment pur, en revanche pour des joints épais on augmentera la proportion de sable jusqu'à 50 % de sable pour 50 % de ciment.

On fait pénétrer la barbotine entre les carreaux à l'aide d'une raclette en caoutchouc, que l'on passe plusieurs fois en appuyant afin qu'elle remplisse tous les vides.

Il est préférable, pour avoir un aspect final homogène, d'effectuer le jointoiement d'une surface en une seule fois pour éviter les traces de reprise pouvant apparaître après le séchage.

Pose des panneaux mosaïque

Les panneaux mosaïque se présentent comme un assemblage de petits carreaux collés sur un papier ou sur une résille en matière plastique. Si le papier est collé sur la face apparente des carreaux, il ne faut surtout pas retirer le papier avant que les panneaux soient scellés. Si le papier ou la résille plastique sont collés sur l'envers des carreaux, il est inutile de les enlever car ils seront noyés dans le mortier de pose.

Nettoyage

Le nettoyage à l'éponge et à l'eau claire doit être fait avant que le mortier de joint ne soit sec. Il commence par un lavage à l'éponge en prenant soin de rincer souvent l'éponge. Celle-ci ne doit pas être trop humide pour éviter de creuser les joints. Un coup de chiffon propre donne au carrelage son aspect et son brillant définitifs en éliminant toute trace de ciment. Dans le cas de carreaux non émaillés les traces de ciment ne peuvent être enlevées qu'avec un produit acide. On peut utiliser de l'acide chlorhydrique dilué à 20 %. Cette opération sera effectuée une fois que les joints sont bien secs. Cette solution sera appliquée à l'éponge par petites surfaces puis rincée sans attendre avec une autre éponge pour éviter que l'acide n'attaque les joints.

Joints de fractionnement

Les joints de fractionnement doivent être respectés dans toute l'épaisseur du mortier-colle et du carrelage pour ce qui concerne les joints de dilatation et de retrait du gros-œuvre. Il faut également prévoir des joints de fractionnement complémentaires pour toutes les surfaces supérieures à 60 m².

En règle générale, on prévoit des joints horizontaux au minimum tous les 6 m, et des joints verticaux au minimum tous les 10 m. La présence de joints permet également de circonscrire les réparations en cas de malfaçons localisées.

Joints entre le carrelage et les appareils sanitaires

Pour éviter les infiltrations d'eau, entre le carrelage et les appareils sanitaires (lavabo, évier, baignoire...), on réalise un joint d'étanchéité souple (joint silicone spécial sanitaires).

Tolérances d'exécution

Les tolérances d'exécution sont de (+ ou -) 5 mm pour une règle de 2 m.

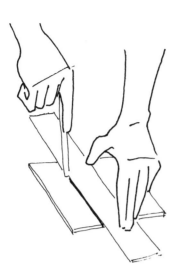 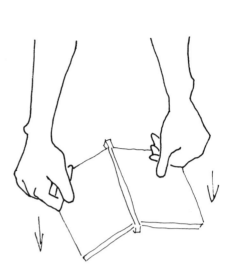

1 - *Entamer l'émail d'un trait continu à l'aide d'une pointe au carbure ou d'une molette.*

2 - *Placer le carreau, émail vers le haut, à cheval sur un clou et appuyer franchement des deux côtés.*

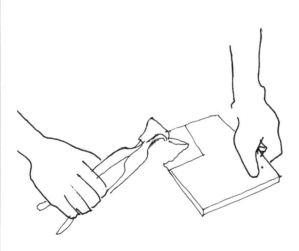 

3 - *Pour découper une encoche, tracer le contour avec une pointe au carbure et entamer le carreau avec une paire de tenailles.*

4 - *Pour les trous utiliser une perceuse équipée d'une mèche au carbure. Pour éviter que l'émail ne s'écaille, placer sur la surface un papier collant.*

COUPE DES CARREAUX
Pour la coupe des carreaux minces, une simple pointe au carbure ou une molette spéciale sont suffisantes. Pour les carreaux émaillés, il suffit d'entamer l'émail avec l'outil, le carreau se casse alors le long du trait d'une simple pression des doigts.

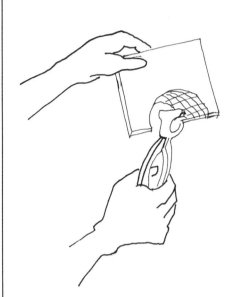

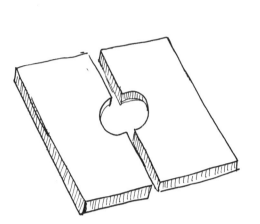

5 - *Pour les trous de grande dimension, procéder comme pour une encoche. On entame le contour à la pointe puis on grignote le carreau avec des tenailles.*

6 - *Pour des encastrements de tuyauterie, il faut d'abord couper le carreau en deux.*

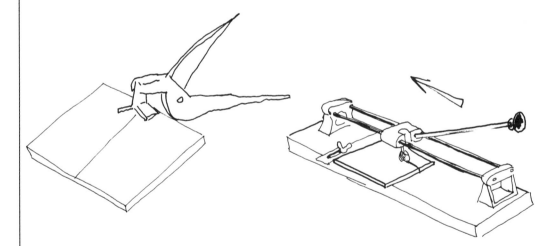

7 - *Les pinces de céramistes sont équipées d'une molette pour entamer l'émail et permettent de casser proprement le carreau.*

8 - *Pour faire de nombreuses coupes, la carrelette est l'outil le plus pratique.*

COUPE DES CARREAUX
Si l'on a beaucoup de découpes à faire, il est préférable d'utiliser une machine à couper ou carrelette.

les coupes

Les coupes s'effectuent de différentes manières suivant la nature et l'épaisseur du carreau. Les différents outils permettant d'entamer un carreau sont :
- la pointe à tracer,
- la carrelette,
- les tenailles,
- les scies à lames rondes,
- les râpes,
- les perceuses.

La pointe à tracer

C'est l'outil le plus utilisé et le plus pratique pour la faïence. La pointe à tracer est un outil au carbure de tungstène qui entame l'émail en le griffant. On se sert en général d'une règle comme appui pour la pointe à tracer. On positionne ensuite un clou sans tête ou autre objet similaire sous le carreau juste au niveau du trait de coupe. En appuyant sur les bords du carreau en porte à faux, on réalise une coupe propre.

La carrelette

La carrelette est pratique lorsqu'on a de nombreuses coupes à faire. Elle est munie d'une roulette tranchante qui permet d'entamer faïences, grès et terres cuites en réalisant des coupes parfaites. Une fois le carreau entamé sur une ligne déterminée, les deux morceaux sont séparés par une simple pression de la main.

Les tenailles

Les tenailles de carreleur sont utilisées uniquement pour les faïences. Elles permettent de grignoter le carreau. La zone à découper est délimitée par un trait griffé à la pointe à tracer. Le grignotage se fait petit à petit par touches successives.

La râpe

La râpe permet de réaliser les ajustages. Le mouvement se fait toujours de la face décorée du carreau vers la face brute.

La perceuse

La perceuse permet de réaliser de petits trous. Elle est équipée d'une mèche au carbure. Pour éviter d'abîmer l'émail du carreau, on interpose un papier collant.

La scie

Les carreaux peuvent également être sciés à condition d'utiliser des lames rondes spéciales.

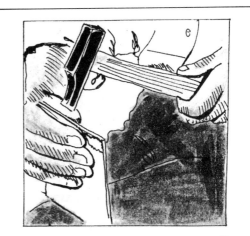

Pour couper un carreau en biseau, on entaille la terre cuite avec la panne du marteau en donnant des petits coups en essayant de ne pas entamer la face émaillée.

Le carreau étant ainsi dégrossi, on rectifie le biais à l'aide d'une meleuse.

COUPE EN BISEAU

Carrelage ancien réalisé par Breughel en 1558 (Frédérique Delecourt).

Carreau ancien 13 X 13. "Scènes paysannes", reproduction Delft (Comptoir de la mosaïque et du carrelage)

CARRELAGES ANCIENS

récupération des carrelages anciens

Les carrelages anciens ont un charme irremplaçable ; leurs irrégularités, leur patine et leurs différences de teintes leur confèrent un effet décoratif difficilement égalable avec des matériaux modernes.

Pose à l'ancienne
Traditionnellement, les carreaux de terre cuite étaient scellés à l'aide d'un mortier de chaux et de sable. Ils reposaient le plus souvent au sol sur une forme de sable.

Récupération
Compte tenu de leur mode de pose, il est facile de récupérer des carreaux anciens en glissant un outil au niveau de cette forme de sable et en faisant levier en soulevant les carreaux. Le plus difficile est de décoller les premiers carreaux. Pour ce faire, l'idéal est de se servir d'un ciseau mince servant de levier, prenant appui sur une petite cale de bois.

Le plus difficile est de débarrasser les carreaux des traces de mortier. En tapant un à un ceux-ci avec une truelle, on peut détacher le plus gros mais il reste de nombreux résidus qui ne peuvent être enlevés qu'à force de patience. On peut utiliser une solution diluée à 20 % d'acide chlorhydrique pour enlever les traces de ciment, mais le résultat n'est pas toujours très probant.

Les taches de peinture pourront être enlevées en trempant les carreaux dans un récipient rempli d'eau chaude et de soude caustique.

La pose
Après avoir bien nettoyé les carreaux, on peut effectuer la pose. Celle-ci sera généralement une pose scellée car il n'est pas nécessaire de les poser à l'ancienne. Les carreaux anciens, faits main, étant de tailles variables, il est conseillé de les poser à joints larges.

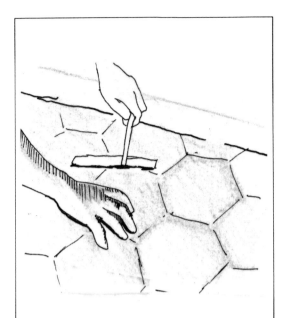

Décoller les premiers carreaux à l'aide d'un ciseau faisant levier sur une cale en bois.

Enlever les traces de chaux en grattant l'envers du carreau avec une truelle.

RECUPERATION DES CARRELAGES ANCIENS

pose sur un mur salpêtré

Le salpêtre

Le salpêtre est d'origine biologique. Il est issu de l'action de micro-organismes qui transforment, à partir de l'azote de l'air, les sels de calcium contenus dans le plâtre, la chaux ou le ciment en nitrates de calcium (salpêtre). Ces nitrates sont solubles dans l'eau et forment des efflorescences qui salissent les murs.

Le salpêtre se rencontre surtout sur les murs anciens, où une certaine humidité le fait ressortir à la surface. Les murs anciens de rez-de-chaussée sont souvent en contact avec la terre, ils aspirent par capillarité les sels de calcium contenus dans la terre, ce qui aggrave le phénomène de salpêtre.

Le traitement

Pour faire disparaître les traces de salpêtre, il suffit d'utiliser un produit fongicide adapté qui détruira les micro-organismes à l'origine de celui-ci.
Dans un premier temps, il convient de brosser vigoureusement la zone concernée pour éliminer toute l'efflorescence et les salissures. Les peintures anciennes devront être poncées pour permettre aux murs d'absorber le produit. Il ne faut pas utiliser de décapant chimique car celui-ci peut annuler l'effet du traitement.

La zone une fois nettoyée, on applique le produit à l'aide d'un pinceau en plusieurs couches croisées. Le mur doit être imprégné jusqu'à saturation. Il faut prévoir environ 1 litre de produit pour 4 m². Si le mur a été endommagé de façon trop importante, il devra être remis en état après l'application du produit. Le produit anti-salpêtre pourra être incorporé à l'eau de gâchage de l'enduit de réparation (mélange à 10 %).

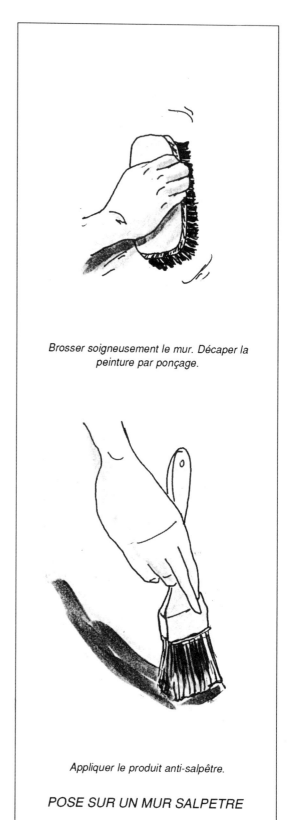

Brosser soigneusement le mur. Décaper la peinture par ponçage.

Appliquer le produit anti-salpêtre.

POSE SUR UN MUR SALPETRE

entretien

Attention aux carrelages humides

L'entretien d'un carrelage ne s'effectue que après le séchage complet de la surface carrelée. Tout entretien prématuré peut donner de très mauvais résultats, surtout en ce qui concerne les terres cuites et carrelages non émaillés. Il est fortement conseillé de ne pas cirer, poncer, gréser, huiler (huile de lin) ou plastifier un carrelage non émaillé ou une terre cuite encore humide.

Carrelages émaillés

Les carrelages émaillés s'entretiennent très facilement, uniquement avec de l'eau. Un simple lavage à l'éponge avec un peu de savon noir suffit à retirer les traces de salissures. Les produits chlorés ou acides sont prohibés pour ne pas attaquer l'émail et risquer des différences de teinte. Certaines poudres à récurer peuvent également rayer l'émail.

On peut cependant utiliser une solution ammoniaquée diluée pour nettoyer les surfaces émaillées ou non, pour enlever certaines traces de gras.

Traitement des carreaux de terre cuite

Les carreaux de terre cuite, s'ils ne sont pas traités préalablement, se tachent très facilement et sont d'un entretien fastidieux.

Une fois la surface bien sèche et bien nettoyée, il faut "nourrir" les carreaux, c'est-à-dire combler leur porosité. Il suffit pour cela d'appliquer abondamment une cire vierge, liquide, sans silicone. Cette application doit être faite plusieurs fois à quelques jours d'intervalle. Il est très important que cette cire ne contienne pas de silicone, car cette substance a pour effet d'empêcher la pénétration des liquides, ce qui serait l'inverse du but recherché. C'est uniquement après ces applications que l'on pourra entretenir la surface régulièrement avec une cire au silicone. Le carrelage est alors étanche aux projections d'eau et de graisse. L'entretien courant peut se faire à l'éponge et à l'eau savonneuse. On peut également utiliser pour nourrir les carreaux huile de lin, essence de térébenthine et pétrole désodorisé. Pour le carrelage mural, on peut tout simplement employer, à défaut de cire vierge, des huiles végétales de cuisine.

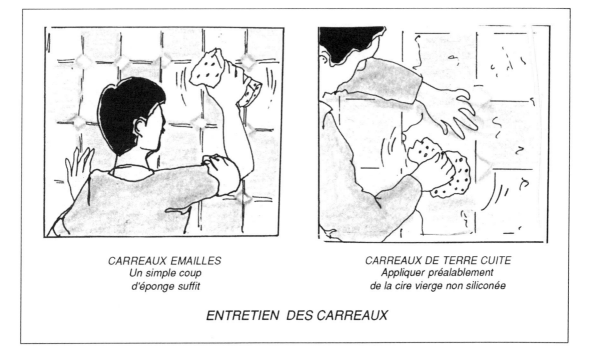

CARREAUX EMAILLES
Un simple coup
d'éponge suffit

CARREAUX DE TERRE CUITE
Appliquer préalablement
de la cire vierge non siliconée

ENTRETIEN DES CARREAUX

Atelier des HURETS

4 - Carrelage mural

Collection CERABATI

Collection BUCHTAL

4 - Carrelage mural

Série de Carré Grès d'Artois

Gianfranco FERRE chez RABONI

4 - Carrelage mural

Antica Elégance de OMEGA

4 - **C**arrelage mural

Décor Raymond JOSSE

Décor DESVRES

Décor Atelier des HURETS

Décor COREMA

K.O. Atelier de mosaïque

4 - **C**arrelage mural

les moquettes

choix d'une moquette

Les progrès technologiques ont permis de réaliser de nouvelles moquettes, plus denses, unies ou imprimées, de motifs au goût du jour et d'un entretien facile. Pour créer l'ambiance d'une pièce, il suffit de la moquetter en faisant preuve de créativité. En dehors des considérations esthétiques, une moquette se sélectionne également en fonction de l'usage de la pièce où elle est posée.

Les trois grandes familles

Il existe trois grandes familles de moquettes qui sont fonction de leur système de fabrication. On distingue :
- la moquette tuftée,
- la moquette tissée,
- la moquette aiguilletée.

AIGUILLETE BOUCLE VERTICAL

VELOURS RAS TUFTE

VELOURS SHAG

Moquette tuftée

La moquette tuftée correspond à un procédé rapide qui consiste à piquer individuellement chaque fil sur un support baptisé premier dossier. Ces fils sont ensuite fixés sous forme de touffe avec une enduction de latex sur laquelle on applique soit de la mousse, soit une toile tissée nommée double dossier.

Moquette tissée

La moquette tissée est fabriquée selon une méthode traditionnelle de tissage. La réalisation est plus longue mais la qualité supérieure. La moquette tissée est généralement plus chère qu'une moquette tuftée. Les moquettes de laine sont des moquettes tissées.

Moquette aiguilletée

La moquette aiguilletée est réalisée à partir d'une nappe épaisse de fibres rendues compactes par des aiguilles spéciales.

Classement UPEC

Le classement UPEC (usure, poinçonnement aux produits chimiques), décrit dans le chapitre 1, définit précisément les qualités certifiées de toutes les moquettes.
Pour les moquettes à usage domestique, les classements U et P sont très importants.

Une moquette U2P2 convient parfaitement à une pièce de faible passage (chambre).
Les pièces plus exposées (entrée, couloir, escalier) devront être traitées avec une moquette plus résistante à l'usure, avec un classement U2$_s$P2 ou U3P2.
Les pièces très exposées comme les bureaux, soumis au marquage des roulettes de sièges, seront équipées d'une moquette très dense, U3P3.
Pour les pièces humides (salle de bains), la moquette devra être imputrescible donc 100 % synthétique avec une sous-couche en mousse imperméable, classée au minimum U2P2E2.
Pour les chambres d'enfant, il convient de choisir une moquette particulièrement résistante à l'usure et aux taches. Le classement minimum sera U2P2.

5 - Les moquettes

Densité d'une moquette

La qualité d'une moquette dépend de sa densité. Il est préférable de choisir une moquette dense aux poils étroitement torsadés, elle sera plus résistante. Pour apprécier la qualité d'une moquette, il faut examiner de très près les extrémités des fibres. Elles doivent avoir une section nette et ne pas être évasées ou fendues. Une pression sur le poil permet d'apprécier le degré de rapprochement des boucles ou des touffes les unes par rapport aux autres. Lorsque l'on plie une moquette, moins le dossier est visible, plus la moquette est dense.

Les labels

Les labels concernent essentiellement les traitements contre les taches. Les principaux labels sont :

- **Le label Du Pont Stainmaster** garantit un traitement contre la plupart des taches ménagères. Grâce à ce traitement, les taches même sèches s'enlèvent.

- **Le label Téflon** garantit un traitement contre les taches et la poussière. Chaque fibre est revêtue d'une gaine Téflon. Ce revêtement empêche la poussière de se fixer sur la fibre et facilite le nettoyage par l'aspirateur. Les liquides renversés ont tendance à rester à la surface, ce qui empêche la pénétration des taches.

- **Le label Scotchgard** garantit également un traitement anti-taches.

Entrée, couloir et escalier

Ce sont des lieux de passage exposés, et salis par les chaussures humides et boueuses. Pour ces pièces, il est conseillé de choisir une moquette résistante, dense, bouclée ou velours, de couleurs et motifs plutôt foncés et non salissants.

Salon et séjour

Ce sont généralement les pièces où l'on choisit la moquette de plus belle qualité, surtout en fonction de critères esthétiques.

VELOURS RAS

GROSSE MECHE COUPEE

DALLE SUR DOSSIER PLOMBE

MOQUETTE A MOTIFS GEOMETRIQUES
DOC: VORWERK

Salle à manger

Il est préférable de choisir une moquette traitée anti-taches.

Chambre d'enfant

On choisira une moquette particulièrement résistante, à la fois à l'usure mais surtout aux taches. Pour les jeunes enfants, on préférera une moquette à poils ras et denses. On s'orientera de préférence vers des moquettes de couleur foncée et à motifs moins salissants. On peut retenir également la solution de la moquette en dalles, faciles à changer en cas d'accident.

Chambre

Ce sont des pièces où l'on circule fréquemment pieds nus et où on aime trouver une moquette épaisse et moelleuse, qui donne une sensation de confort.

Salle de bains

Ce sont des pièces humides. La moquette devra être choisie imputrescible et spécialement traitée.

Les décors

Tous les décors possibles existent aujourd'hui en moquette.
La moquette tuftée peut supporter des dessins d'une grande finesse d'impression. Les couleurs les plus vives résistent bien dans le temps grâce aux nouveaux traitements anti-taches.

Les tons unis existent dans des gammes de coloris très importantes et pour toutes les qualités de moquette.

Le décor kaléidoscopique est une impression par points contrastés qui a pour effet de donner une couleur dominante chaleureuse et de changer de nuances selon l'éclairage.
La reproduction des effets de mouchetage, paillettes et brossage, que l'on trouve également en peinture murale, donne aux moquettes des décors nouveaux et originaux. Ce type de motif présente l'intérêt de masquer les taches.

TEXTURE D'UNE MOQUETTE

La texture d'une moquette lui confère sa qualité au niveau du toucher ainsi que la beauté de son aspect.
Cette texture dépend essentiellement du procédé de finition lors de sa fabrication. Par exemple, une moquette tuftée, une fois coupée, à la finition devient une moquelle velours. Si elle n'est pas coupée ce sera une moquette bouclée.

La moquette en velours coupée a un poil dense et court avec un aspect satiné et lisse. Elle convient à toutes les pièces de la maison.

La moquette en velours coupée à poils hauts se reconnaît à ses fils retors et souples qui lui donnent un aspect moucheté. Elle convient parfaitement pour les salons, séjours et chambres à coucher.

La moquette frisée n'est autre qu'une moquette velours coupée à fils surtordus fixés à chaud. Sa surface est irrégulière. Elle est moins douce au toucher que la moquette en velours. On la choisira de préférence pour les pièces de séjour et couloirs.

La moquette bouclée est constituée de petites boucles régulières. Elle est particulièrement résistante à l'usure et convient parfaitement pour les entrées, les escaliers, les salles à manger et les chambres d'enfant.

La moquette bouclée coupée présente un relief très accentué. On la réserve généralement pour les séjours, les salles à manger et les chambres.

préparation de la pose

La pose de la moquette ne peut s'effectuer correctement que si les conditions préalables de préparation du sol sont remplies.

Travaux préparatoires

Avant la pose de la moquette, dans le cas de travaux neufs, il est important que les peintures sur mur et plafond soient terminées.
On vérifiera l'étanchéité des installations des appareils sanitaires et de chauffage.

On vérifiera le jeu sous les portes pour la pose de la moquette.
Le support quel qu'il soit devra être parfaitement propre.

Les colles

Les colles sont choisies en fonction des envers de moquette (voir tableau). Le fabricant de moquette doit indiquer la colle qu'il convient d'employer. La préparation de la colle se fait en fonction de la notice d'utilisation du fabricant. Le stockage des pots de colle doit se faire à une température inférieure à 30° et à l'abri du gel.

Choix d'une colle en fonction des envers de moquette

Type de dossier	Composition des envers	Types de colle		
		Résines naturelles colophane et dérivés (COL)	Acryliques et copolymères (DAC)	Divers synthétiques (DLS)
Tissés non enduits	Fibres naturelles	Locaux classés au plus U_{2S}	Ne convient pas	Ne convient pas
	Fibres synthétiques pures ou mélangées	Ne convient pas	Tous locaux	Tous locaux
Non tissés non enduits	Mélange de fibres naturelles et synthétiques	Locaux classés au plus U_{2S}	Tous locaux	Tous locaux
	100 % synthétique	Locaux classés au plus U_{2S}	Tous locaux	Tous locaux
Enduits	Fibres enrobées ou imprégnées de résines synthétiques	Ne convient pas	Tous locaux	Tous locaux
	PVC Polyuréthane Polypropylène	Ne convient pas	Tous locaux	Ne convient pas
	A base de caoutchouc naturel (latex)	Locaux classés au plus U_{2S}	Tous locaux	Tous locaux
	A base de caoutchouc synthétique (SBR)	Locaux classés au plus U_{2S}	Tous locaux	Ne convient pas

ANCIENNES MOQUETTES

Dans le cas d'ancienne moquette, celle-ci devra être arrachée. On appliquera un produit dissolvant et l'on enlèvera avec une spatule les résidus de mousse et de colle. Pendant cette opération, le local devra être très largement aéré. Puis l'on brossera consciencieusement toute la surface du plancher à la paille de fer ou à la brosse métallique.

Après application du produit dissolvant, gratter les résidus avec une spatule.

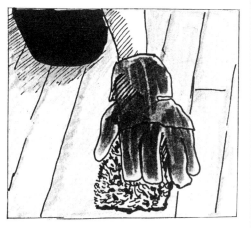

Brosser toute la surface avec une paille de fer ou brosse métallique.

les différents modes de pose

Si la pose libre peut convenir pour de petites surfaces, seule une fixation sur toute la surface garantit un bon usage dans le temps. Les deux principaux modes de pose sont :
- **la pose par collage en plein,**
- **la pose dite "tendue"** avec interposition d'une thibaude.

A noter que les moquettes de type traditionnel tissées doivent toujours être posées tendues.

Pose libre

Les moquettes avec dossier en mousse anti-dérapant peuvent être posées librement uniquement dans les pièces de petites dimensions (exemple : salles de bains). Dans ce cas, il est préférable que le support soit rugueux, comme un béton brut; il reste conseillé de renforcer les bords par des bandes d'adhésif double-face spécial moquette à une largeur d'environ 10 cm. Il doit être fixé sur la périphérie du plancher, au niveau des raccords et doit former une croix sous chaque lé de moquette.

pose par collage en plein

Coller en plein reste la méthode la plus couramment employée. Les raccords sont invisibles et, contrairement à la pose libre, on ne risque plus les faux plis dus aux déplacements de meubles. Le dossier de mousse de la moquette ne s'use plus par frottement.

Préparation de la pose

Avant de commencer la pose, on découpe les lés en laissant une marge suffisante dans les deux sens, pour réaliser les joints et les arasements.

---

pose par collage en plein

1 - Replier la moquette sur la moitié de la pièce. Etaler sur la partie du sol dégagée la colle avec une spatule crantée puis maroufler du plat de la main la moquette sur la colle fraîche, en prenant soin de chasser les bulles d'air et de bien ajuster l'ensemble.

2 - Soulever la moitié de la moquette restante et encoller la deuxième partie de la pièce. Maroufler de la même façon puis procéder à l'arasement des bordures avec un cutter spécial ou un araseur.

Les colles et fixateurs acryliques ont un temps de séchage très rapide (10 à 40 mn).

Une sous-couche liège en rouleau ou un film de polyester permet d'éviter le ragréage sur un sol endommagé.

Un enduit à base de bitume peut également remplacer un ragréage.

Conditions d'utilisation de la colle

On utilise la colle en respectant les températures d'emploi prescrites par le fabricant.

Dans tous les cas les colles ne peuvent pas être utilisées :

- si la température est inférieure à 5°C.
- si la température est supérieure à 30°C.

La colle doit être bien homogène.

Etalement de la colle

L'étalement de la colle se fait d'une manière régulière sur le support par simple encollage. Pour ce faire on utilise une spatule dentelée. Les autres modes d'application (rouleau, pistolet) demandent une main-d'œuvre spécialisée et qualifiée.

Un manque de colle nuit à l'adhérence entre le sol et le revêtement. En revanche, si l'on met trop de colle sans augmenter le temps de gommage, on risque d'enfermer le film de colle en l'empêchant de sécher. Ce qui risque de provoquer cloques et décollements.

Pose de la moquette

Les moquettes sont collées en plein sur le support. Les lés seront posés bord à bord ou à joints coupés suivant la finition des lisières des rouleaux de moquette.

Il est préférable de ne pas poser une moquette sans l'avoir fait au préalable reposer vingt-quatre heures, hors de son emballage et à température ambiante, pour éviter d'éventuelles dilatations ou rétractations liées aux écarts de température entre le lieu de stockage et le lieu de pose.

Marouflage

Après collage, le revêtement doit être maroufté en allant du centre des lés vers l'extérieur. Le marouflage ne doit pas être fait avec un outil risquant d'abîmer la moquette. Une fois collée et maroufée, la moquette peut être arasée.

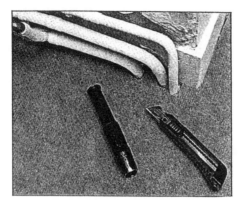

Pour contourner les canalisations, on peut utiliser un emporte-pièces du diamètre des tubes à détourer, un cutter permet de parfaire la finition.

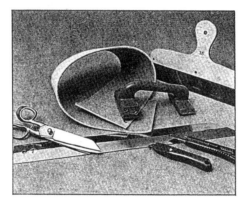

L'outillage comprend un cutter, un couteau à moquette, un araseur de plinthes, une règle métallique et une paire de ciseaux.

Le raccordement de deux lés bord à bord se fait en coupant simultanément les deux épaisseurs avec une règle.

pose par tension

La pose par tension est surtout utilisée pour les moquettes traditionnelles tissées ou à dos de jute. Elle prolonge la durée de vie de la moquette et assure une meilleure insonorisation de la pièce. Ce type de pose est réservé à des professionnels.
On distingue :
- pose sur baguettes à griffes,
- pose clouée.

Pose sur baguettes à griffes

Avant de commencer la pose, on fixe par clouage ou par collage des baguettes à griffes (ou bandes d'ancrage) sur toute la périphérie de la pièce. On prend soin de laisser un espace le long du mur ou de la plinthe correspondant aux deux tiers de la moquette. L'utilisation des bandes d'ancrage nécessite obligatoirement l'utilisation d'une thibaude pour compenser l'épaisseur de la baguette.

Pose de la thibaude

La thibaude est placée sur toute la surface de la pièce en retrait de 1 cm par rapport aux baguettes d'ancrage et de 5 cm par rapport à la plinthe dans le cas d'une pose clouée. La thibaude doit être légèrement tendue sans être étirée, elle sera clouée si l'on est sur un support en bois et collée sur les autres supports.

Préparation de la pose

Les lés de moquette sont prédécoupés puis assemblés à sec sur le sol bord à bord aux dimensions de la pièce en laissant dépasser de 10 cm de chaque côté pour effectuer les arasements.
Les lés sont ensuite assemblés soit par coutures soit par bandes thermocollantes.

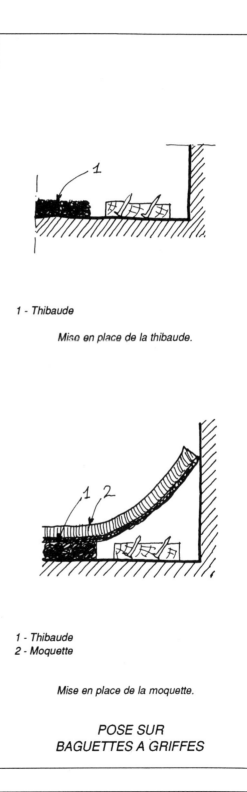

1 - Thibaude

Mise en place de la thibaude.

1 - Thibaude
2 - Moquette

Mise en place de la moquette.

POSE SUR BAGUETTES A GRIFFES

Tension de la moquette

La tension de la moquette se fait grâce à un apareil appelé "coup de genou" et d'un autre appelé "tendeuse".
La tendeuse n'est pas nécessaire dans le cas de petites surfaces (inférieures à 10m²).

Fixation de la moquette

La fixation s'effectue sur les baguette par agrafage ou par clouage. Dans le cas d'une pose clouée, les semences sont plantées à intervalles réguliers.

Arasement de la moquette

Une fois la moquette tendue et fixée, on procède à l'arasement en laissant dépasser la moquette de 1 cm environ que l'on introduit dans l'espace situé entre la baguette et le mur. S'il s'agit d'une pose clouée, on laissera dépasser la moquette de 5 cm pour permettre le repli du tapis.

Pose tendue sur escalier droit

La pose sur escalier droit doit être centrée sur la première marche. Elle est fixée par clouage ou par agrafage, la moquette peut être tendue sur chaque marche par une tringle elle-même fixée au sol par deux pitons. En général cette tringle est amovible, ce qui permet de déposer le tapis en cas de nettoyage.
En bas de la première marche, la moquette est maintenue par un fourreau cousu dans lequel

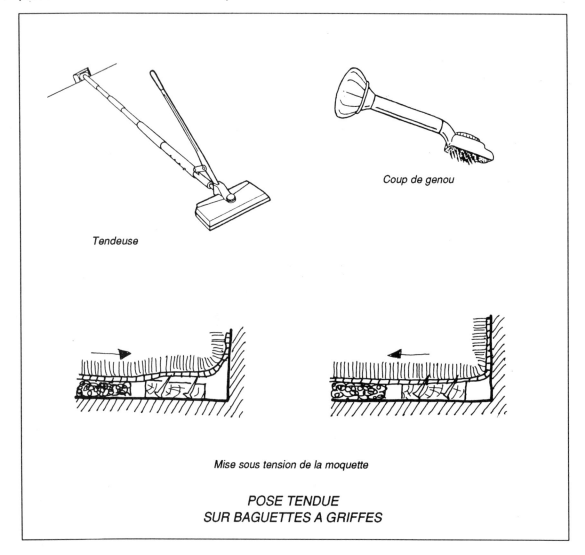

Tendeuse

Coup de genou

Mise sous tension de la moquette

*POSE TENDUE
SUR BAGUETTES A GRIFFES*

coulisse la tringle. Sur le nez de marche, la moquette doit être déroulée dans le sens de fabrication avec le couchant du velours orienté dans le sens de la descente.

Pose tendue sur escalier tournant

Le lé de moquette doit être centré sur la première marche palière puis fixé par clouage ou ancrage sur bandes sur le fond de la marche suivante. Il est ensuite déroulé en respectant la ligne de foulée. La ligne de foulée est un axe tracé à 50 cm du collé (extrémité la plus étroite de la marche tournante).

Le clouage s'effectue toujours en commençant par le côté le plus large de la marche, le surplus de tapis étant résorbé par une pince.

Pose tendue sur palier

La moquette est fixée au sol par clouage, elle est repliée à chaque extrémité avec une réserve, puis maintenue par des semences espacées de 10 cm.

Sur la longueur du palier, le tapis est fixé soit par des semences espacées de 10 cm, soit par des clous à tube espacés de 40 cm.

Le tapis posé sur le palier doit toujours recouvrir le tapis des volées d'escalier. Le tapis de la volée est arrêté sous le tapis d'escalier et cousu sous celui-ci. La différence d'épaisseur est rattrapée par une thibaude. Si la volée d'escalier croise le palier, le tapis de la volée se prolonge de part et d'autre sous le tapis du palier.

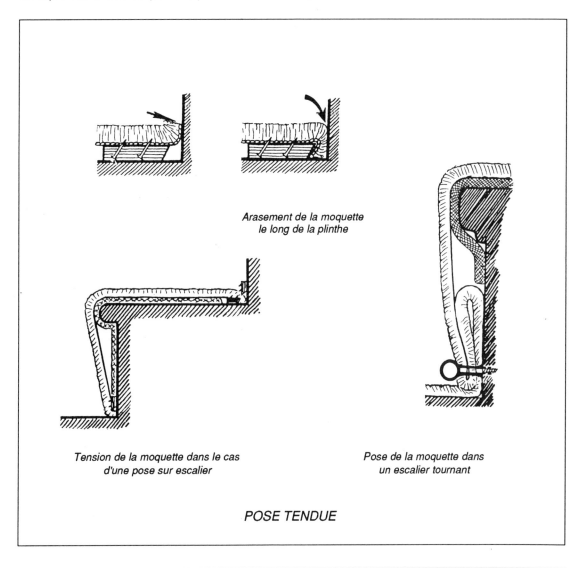

Arasement de la moquette
le long de la plinthe

Tension de la moquette dans le cas
d'une pose sur escalier

Pose de la moquette dans
un escalier tournant

POSE TENDUE

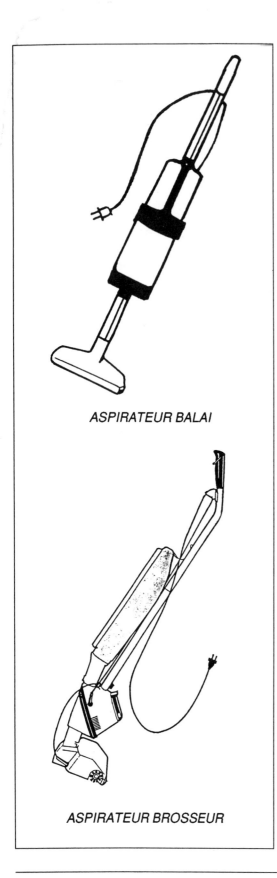

ASPIRATEUR BALAI

ASPIRATEUR BROSSEUR

Une moquette s'encrasse à cause de trois facteurs essentiels, qui sont :

- les sables, terre et poussières,
- les gaz et fumées,
- les taches.

Sables, terre et poussières

Ce sont les chaussures qui apportent sur les moquettes les grains de poussière, de sable et de terre. Ces éléments solides ne restent pas à la surface mais s'enfoncent à l'intérieur de l'épaisseur du tapis. Les grains de sable sont très abrasifs et leur arête coupante sectionne les fibres du tapis. Ils contribuent à accélérer l'usure des moquettes. Il est donc important d'aspirer de façon régulière pour extraire les grains de sable, terre et poussière.

Les gaz et fumées

Les gaz d'échappement, les fumées d'usine ou de cheminée, les vapeurs de cuisine, les fumées de cigarettes, ainsi que l'ensemble des produits aérosols en bombe déposent sur la surface des moquettes une pellicule grasse sur laquelle viennent se coller les poussières. Ce phénomène d'encrassement qui ne peut être éliminé par l'aspirateur contribue à ternir à long terme les couleurs et l'aspect des moquettes.

Les taches

Les taches dégradent la moquette ponctuellement suivant l'origine du produit renversé, elles peuvent endommager de façon irréversible la moquette, soit en agissant comme de véritables teintures (encres, peintures), soit en décolorant la teinture d'origine.

Le balai mécanique

Le balai mécanique convient pour les pièces de petites dimensions, mais il ne ramasse la poussière qu'en surface et ne permet pas un dépoussiérage efficace.

Les aspirateurs

Les aspirateurs sont des turbines entraînées par un moteur électrique qui aspirent l'air à travers un filtre.

L'efficacité de l'appareil ne dépend pas que de la puissance de son moteur mais du débit d'air et de la dépression. On parle de la puissance utile d'un aspirateur.

C'est la dépression d'air qui permet d'aspirer les matières solides (sables et poussières) retenues dans les fibres.

Pour ménager l'efficacité et la longévité de l'appareil, il est conseillé de remplacer fréquemment le filtre à poussière.

Les principaux appareils sont :

- les aspirateurs balai,
- les aspirateurs traîneau,
- les aspiro-brosseurs,
- les aspiro-batteurs.

Les aspiro-brosseurs sont des aspirateurs balai munis d'une brosse rotative qui écartent les poils du velours et permettent d'extraire efficacement la poussière. La hauteur de la brosse doit être réglée en fonction de l'épaisseur du velours.

Les aspiro-batteurs sont équipés d'un système de battage à amplitude réglable qui soulève les grains de poussière ensuite aspirés. Ils sont particulièrement adaptés aux moquettes posées tendues sur thibaude. Un aspiro-batteur mal réglé peut détériorer la sous-couche du tapis si elle est en mousse.

A noter que la plupart des aspiro-batteurs sont à la fois aspiro-brosseurs.

Les accessoires

Les principaux accessoires sont :
- les buses (ou suceurs),
- les brosses rondes,
- les brosses plates.

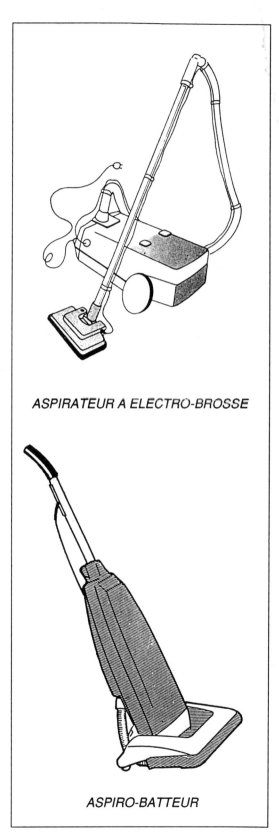

ASPIRATEUR A ELECTRO-BROSSE

ASPIRO-BATTEUR

Traitement des différents types de taches

Type de taches	Opération à effectuer	Taches rebelles	Auréole blanche après séchage
Bonbons, chocolat, confiture, crème fraîche, excréments, fruits, glace, jus de fruits, lait, œuf, sang, sauces, vomissures	Racler le produit tachant Utiliser un shampooing détachant Tamponner avec du vinaigre blanc ou de l'ammoniaque Brosser, sécher, brosser	Utiliser du trichloréthylène Tamponner Brosser	Rincer à l'eau froide Tamponner Brosser
Alcool, bière, café, charbon, coca-cola, colle à l'eau, eau (auréoles), herbe, moutarde, peinture à l'eau, suie, thé, urine, vin, vinaigre	Racler le produit tachant Utiliser un shampooing détachant Tamponner avec du vinaigre blanc uniquement Brosser, sécher, brosser		Rincer à l'eau froide Tamponner Brosser
Beurre, cirage, cire, cosmétiques, encres, encaustique, huile, graisse, mazout, onguents, papier carbone, parfum, rouge à lèvres	Racler le produit tachant Utiliser du trichloréthylène ou un shampooing détachant Tamponner avec du vinaigre blanc uniquement Brosser, sécher, brosser		Rincer à l'eau froide Tamponner Brosser
Colle cellulosique, vernis à ongles, vernis incolore, peinture	Racler le produit tachant Utiliser un dissolvant du commerce et tamponner Utiliser un shampooing détachant Brosser, sécher, brosser		
Rouille	Racler le produit tachant Utiliser de l'antirouille Rincer abondamment Tamponner Brosser, sécher, brosser		
Bougie	Racler le produit tachant Couvrir avec un papier absorbant Poser un fer tiède Tamponner au trichloréthylène Brosser		
Chewing-gum	Utiliser un produit anti-chewing-gum durcissant Racler le chewing-gum Brosser		
Tache de nature inconnue	Racler le produit tachant Utiliser du trichloréthylène ou un shampooing détachant Tamponner avec du vinaigre blanc et éponger Brosser, sécher, brosser	Utiliser de l'ammoniaque ou du vinaigre blanc Tamponner Brosser	Rincer à l'eau froide Tamponner Brosser

5 - Les moquettes

Détachage

Le détachage doit se faire aussitôt la tache faite. Plus la tache est ancienne plus elle sera difficile à faire disparaître.

Contrairement à ce que l'on croit, il faut éviter d'employer une éponge et de frotter la tache au risque de la faire pénétrer profondément à l'intérieur de la moquette.

1 - Récupérer au maximum le produit tachant

La première chose à faire, une fois la tache faite, est d'essayer dans un premier temps de récupérer au maximum le produit répandu qui a occasionné la tache. Pour ce faire on utilisera un couteau ou une cuillère et on raclera doucement la surface du tapis en pressant fortement sans frotter pour faire remonter au maximum la tache. Puis on pourra appliquer un chiffon ou un papier absorbant pour aspirer le restant.

2- Utiliser un détachant

Selon la nature de la tache, on utilisera soit un solvant soit un produit détachant. Le produit sera versé sur un chiffon propre et on tamponnera la partie tachée en agissant de l'extérieur vers le centre. On ne versera jamais le détachant directement sur la tache. La tache remontera petit à petit dans le chiffon.

Le solvant pourra être soit un trichloréthylène soit un dissolvant du commerce. On pourra également utiliser de l'ammoniaque ou du vinaigre blanc.

3 - Tamponner et brosser

A l'aide d'un chiffon, on tamponne fortement la tache pour extraire l'humidité et l'on brosse la moquette. Une fois cette opération terminée, pour sécher la moquette détachée, on peut poser sur l'emplacement plusieurs couches de chiffons propres maintenus par un objet lourd.

Shampooing détachant

Si on utilise un shampooing détachant, on pourra l'appliquer directement sur la tache en frottant la surface avec les doigts. A l'aide d'une cuillère on raclera la mousse sale et recommencera plusieurs fois l'opération jusqu'à ce que la mousse formée soit propre.

Si on utilise du shampooing détachant, il est conseillé, une fois l'opération terminée et avant que la surface traitée ne soit complètement sèche, de passer sur cette surface (en tapotant) un chiffon imbibé de vinaigre blanc. Ceci aura pour effet de neutraliser l'action du shampooing.

Si, après séchage, une auréole apparaît, on utilisera une éponge propre imbibée d'eau froide.

Ammoniaque

Si on utilise de l'ammoniaque, il est conseillé, une fois l'opération terminée et avant que la surface traitée ne soit complètement sèche, de passer sur cette surface (en tapotant) un chiffon imbibé de vinaigre blanc. Ceci aura pour effet de neutraliser l'action de l'ammoniaque.

Shampouinage

Une moquette, pour être bien entretenue, doit être shampouinée au moins une fois par an pour éviter qu'elle ne s'encrasse et que les couleurs ne ternissent.

Avant d'opérer un shampouinage, il est recommandé de dépoussiérer à fond le tapis à l'aide d'un aspiro-brosseur ou d'un aspiro-batteur. Les taches éventuelles seront enlevées selon les méthodes préconisées ci-avant.

détachage d'une moquette

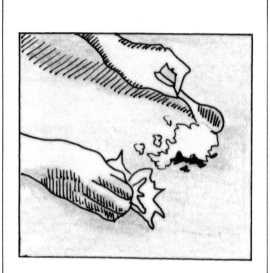

1 - *Récupérer à l'aide d'une cuillère la substance tachante avant qu'elle ne pénètre profondément dans la moquette.*

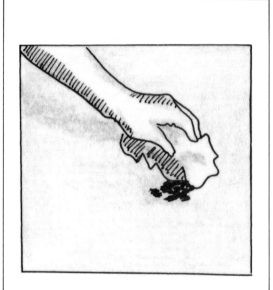

2 - *Presser fortement avec un chiffon pour aspirer et sécher au maximum la tache.*

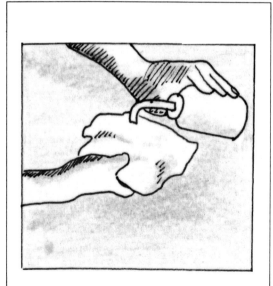

3 - *Verser le produit détachant sur un chiffon propre.*

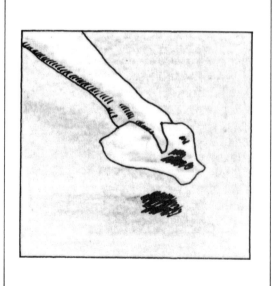

4 - *Tapoter la partie tachée avec ce chiffon en opérant toujours de l'extérieur vers le centre.*

détachage d'une moquette

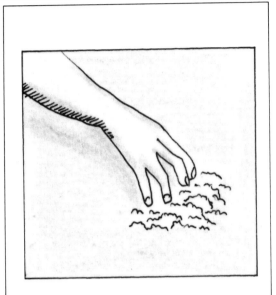

5 - Si on utilise un shampooing comme détachant, le faire mousser avec les doigts sur la partie tachée.

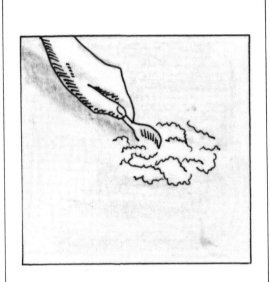

6 - Récupérer la mousse à l'aide d'une cuillère, et renouveler plusieurs fois l'opération jusqu'à ce que la mousse soit propre.

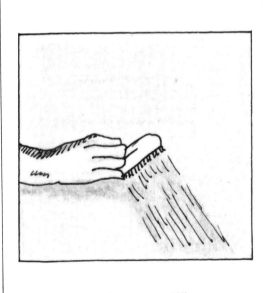

7 - Sécher le tapis avec un chiffon sec absorbant et brosser pour remettre les fibres dans le bon sens.

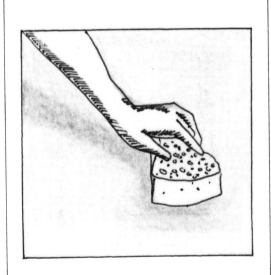

8 - Si une auréole apparaît après séchage, rincer avec une éponge propre imbibée d'eau froide.

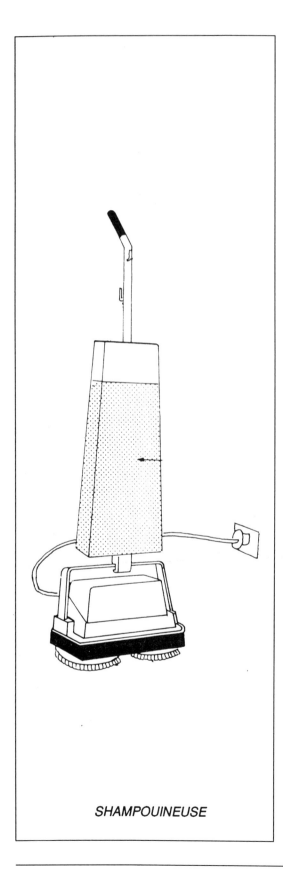

SHAMPOUINEUSE

Pour effectuer ce shampouinage, on utilisera :
- des shampooings liquides,
- des poudres,
- des shampooings aérosols,
- des machines à extraction.

Les shampooings liquides

Les shampooings sont des produits à base de détergents. Ils se présentent le plus souvent sous la forme de liquide concentré à diluer avec de l'eau.

La plupart des shampooings liquides laissent après séchage des traces et auréoles difficiles à éliminer par rinçage. Pour cette raison, il est recommandé de respecter scrupuleusement les proportions d'eau et de produit indiquées par le fabricant. Il ne faut pas effectuer plus d'un shampooing par an. Les moquettes seront brossées à rebrousse-poil avant le séchage. Ne pas marcher sur la moquette et ne rien poser sur celle-ci (meubles) avant qu'elle ne soit complètement sèche. Après séchage, passer un coup d'aspirateur.

Les poudres

Les poudres permettent de nettoyer les moquettes à sec. Ce procédé présente l'avantage d'être plus rapide et de nettoyer sans risque d'auréole. Les moquettes ne risquent pas d'être déformées par l'humidité. La poudre est répandue sur la moquette. On la fait pénétrer à l'aide d'une brosse passée dans tous les sens. Après avoir laissé le produit agir deux ou trois heures, passer l'aspirateur.

Les aérosols

De nombreux aérosols, d'un point de vue pratique, peuvent être comparés aux poudres, mais ont souvent pour inconvénient de laisser des auréoles.

Les machines à extraction

Ce sont de nouvelles machines qui sont très efficaces car elles ne laissent pas de traces de shampooing favorisant le réencrassement ultérieur. Il est important que le tapis soit de bonne qualité et non déformable. C'est le seul procédé qui convient pour les tapis "shags".

CARREAUX DE FAIENCE POUR SOL

AGROB FRANCE
Avenue des Frères-Lumière
BP 80
69740 Genas
Tel : 78 90 34 76

ARCEDIS
38, rue des Etats-Généraux
78000 Versailles
Tel : 39 53 63 45

ARKEN
35, rue Louis-Armand
Z I des Milles
13763 Les Milles Cedex
Tel : 42 39 82 63

CERAMICA DE VALADARES
21, rue Fourcroy
75017 Paris
Tel : 42 67 47 83

DIFFUSION CERAMIQUE INDUSTRIE
24, rue Chaptal
92300 Levallois-Perret

PARIS FRANCE CERAMIQUE
78, rue Etienne-Dolet
92240 Malakoff
Tel : 47 35 38 52

VILLEROY ET BOCH
82, rue d'Hauteville
75010 Paris
Tel : 45 23 03 45

CARREAUX DE GRES

ABC-KLINKER
220, route des Petits-Ponts
93420 Villepinte
Tel : 49 39 63 38

ANDRE CHEMLA
3, rue Géo-Chavez
75020 Paris
Tel : 43 60 72 32

ART EDITION
Chemin de l'Usine
82100 Castelsarrasin
Tel : 63 95 03 33

ATELIER DU DER
Route de Nuisement
Arrigny
51290 Saint-Rémy
Tel : 26 41 60 60

BEUGIN INDUSTRIE
BP 35
62150 Houdin
Tel : 21 47 47 00

BOULENGER
21, rue Pajol
75018 Paris
Tel : 46 07 97 84

BUCHTAL
20, rue Bartholdi
92100 Boulogne-sur-Seine
Tel : 46 05 87 22

CAPRON
BP du Tapis-Vert
BP 82
06220 Vallauris
Tel : 93 63 75 55

CARREAUX DE SAULT-BRENAZ
Quartier de la Gare
BP 7
01820 Villebois
Tel : 74 36 66 33

CARRELAGES SIMONS
Route de Guise
BP 206
59360 Le Cateau
Tel : 27 77 82 11

CERA-FRANCE GROUPE CARRE
91, quai Valmy
75010 Paris
Tel : 48 26 22 63

CERAMICA EUROTILES
17-19, av. Max-Dormoy
94500 Champigny-sur-Marne
Tel : 47 06 45 69

CERAMICA FLOOR GRES
43, allée Camille-Desmoulins
93320 Pavillon-sous-Bois
Tel : 48 48 36 76

CERAMIQUE DE L'YONNE
89520 Saint-Sauveur
Tel : 86 45 55 11

CERDISA
53, rue Lauriston
75016 Paris
Tel : 47 04 33 15

DESCHAMPS ET CIE
27 bis, route des Petits-Marais
92230 Port-de-Genevilliers
Tel : 47 94 09 90

DESVRES
BP 14
62240 Desvres
Tel : 21 91 61 11

DOUZIES CARRELAGES
36, rue Greveaux
BP 567
59605 Maubeuge
Tel : 27 69 19 01

ESTO KLINKER
Route de Paris
La Mésangerie-Cherisy
28500 Vernouillet
Tel : 37 43 73 67

FRANCE ALFA CERAMIQUE
Z I de Cerou
81400 Carmaux
Tel : 63 36 85 60

GRES CATALAN
6, impasse des Hautes-Beauces
78410 Aubergenville
Tel : 30 95 61 01

GRES DE NULES
BP 17
58000 Décize
Tel : 86 25 18 13

HOGANAS
99/101, rue Henri-Gaulthier
93000 Bobigny
Tel : 48 46 67 67

KORZILIUS
3, quai de l'Industrie
91200 Athis-Mons
Tel : 60 48 13 63

OSTARA FLIESEN
38, rue des Etats-Généraux
78000 Versailles
Tel : 39 53 63 45

RHONE CARRELAGE
45, allée du Mens
69100 Villeurbanne
Tel : 78 80 12 21

SETRIM EN CHARTREUSE
62150 Houdin
Tel : 21 41 07 00

TODAGRES
2, rue Nungesser
94170 Le Perreux-sur-Marne
Tel : 48 72 45 91

WINCKELMANS
584, av. de Dunkerque
59160 Lomme
Tel : 20 92 16 54

CARREAUX
DE TERRE CUITE

ANGEBAULT
BP 113
44150 Ancenis
Tel : 40 83 00 07

**ATELIERS DE REALISATION
CERAMIQUE**
La Bastide Neuve
Rustrel - BP 61
84400 Apt Cedex
Tel : 90 74 47 25

BOUTAL CARRELAGE
Route de Draguignan
83690 Salernes
Tel : 94 70 62 12

BRIQUETERIE D'ALLONNE
Allonne
60000 Beauvais
Tel : 44 02 06 82

BRIQUETERIE SAINTE MARCELLE
Fite-Colomines
Saint-Jean Pla-de-Corts
66400 Ceret
Tel : 68 83 17 67

CERAMIQUE DU BOCAGE
Saint-Germain L'Aiguiller
85390 Mouilleron-en-Pareds
Tel : 51 00 33 28

DELTA PIERRES
384, route de Grenoble
69800 Saint-Priest
Tel : 78 26 23 37

**GENERALE FRANCAISE DE
CERAMIQUE**
BP 4 - 16270 Roumazières-Loubert
Tel : 45 71 12 10

GRES D'ARTOIS GROUPE CARRE
91, quai de Valmy
75010 Paris
Tel : 48 26 22 63

JOUVE FRANCE
Les Marronniers-Pelcourt
13100 Aix-en-Provence
Tel : 42 21 11 17

MATCERAM
Puy-Blanc
Cambes
46100 Figeac
Tel : 65 40 02 36

POTERIE DE LA BRAGUE
Plascassier
06740 Châteauneuf-de-Grasse
Tel : 93 60 10 76

RAIMOND JOSSE
L'Ouvriadière
BP 36
49430 Durtal
Tel : 41 76 01 55

STORME
Gironde-sur-Dropt
33190 La Réole
Tel : 56 61 10 46

TERRES CUITES DES LAUNES
Quartier des Launes
83690 Salernes
Tel : 94 70 62 72

TUILERIE BLACHE
69, rue du Centre
69700 Loire/Rhône
Tel : 78 73 20 19

TUILERIE BRIQUETERIE ROYER
Soulaines-Dhuys
10200 Bar-sur-Aube
Tel : 25 26 50 06

TUILES BRIQUES TERRE CUITE DE FRANCE
17, rue Letellier
75015 Paris
Tel : 45 78 65 00

DALLES DE GRANIT, LAVE, MARBRE

ARDOISERIE DE L'ANJOU
47, bd Foch
BP 2265
49022 Angers Cedex
Tel : 41 88 30 82

ATELIERS DE REALISATION CERAMIQUE
La Bastide Neuve
Rustrel BP 61
84400 Apt Cedex
Tel : 90 74 47 25

BITSCHINE Philippe
1, avenue Darius-Milhaud
13100 Aix-en-Provence
Tel : 42 21 16 29

CARRIERES DU BOULONNAIS
62250 Fergues
Tel : 21 92 81 11

DEVINEAU
BP 82
Fauillet
47400 Tonnein
Tel : 53 79 12 34

GERVOT
34, rue Guy-Moquet
94500 Champigny
Tel : 47 06 03 79

GRANITS PLEVEN GIQUEL
Malakoff
22940 Plaintel
Tel : 96 32 14 93

MARBRERIE REGIS
85, rue Cauchoix
95170 Deuil-la-Barre
Tel : 39 64 16 33

PIERRE HABITAT
5, rue Bellini
92806 Puteaux Cedex
Tel : 47 75 31 88

SOLENIA
BP 5
83350 Ramatuelle
Tel : 94 79 26 75

VICTOR MARBRES
18, rue du Pont-Blanc
93300 Aubervilliers
Tel : 48 34 92 31

ADRESSES DES FABRICANTS

MOQUETTES EN DALLES

AGORA
Z I de la Pilaterie
BP 116
59443 Wasquehal Cedex
Tel : 20 98 89 85

BALTA BATIMENT FRANCE
Immeuble Jéna
33, rue Galilée
75116 Paris
Tel : 47 23 72 24

DLW FRANCE
80 bis, rue de Reuilly
75012 Paris
Tel : 43 42 49 49

ESCO FRANCE
28, av. Edouard-Vaillant
93500 Paris
Tel : 48 40 67 31

FULDA FRANCE
5-7, rue Ordener
75018 Paris
Tel : 42 08 83 14

INTERFACE HEUGA
Immeuble Diamant
4, rue René-Razel
91892 Orsay Cedex
Tel : 69 85 19 19

MOQUETTES ET TAPIS AIGUILLETES

AGORA
Z I de la Pilaterie
BP116
59443 Wasquehal Cedex
Tel : 20 98 89 85

FULDA FRANCE
5-7, rue Ordener
75018 Paris
Tel : 42 08 83 14

INTERFACE HEUGA
Immeuble Diamant
4, rue René-Razel
91892 Orsay Cedex
Tel : 69 85 19 19

GBS
12, passage des Plantes
BP 20
94272 Kremlin-Bicêtre Cedex
Tel : 46 70 11 69

SOMMER (REVETEMENT)
29, av. des Champs-Pierreux
92022 Nanterre Cedex
Tel : 46 40 40 40

MOQUETTES POUR SALLE DE BAINS

AGORA
Z I de la Pilaterie
BP116
59443 Wasquehal Cedex
Tel : 20 98 89 85

DLW FRANCE
80 bis, rue de Reuilly
75012 Paris
Tel : 43 42 49 4

TAPIS SCHALFLER
BP 16 ZI
67590 Schweighouse-sur-Moder
Tel : 88 73 31 73

MOQUETTES TISSEES

AGORA
Z I de la Pilaterie
BP116
59443 Wasquehal Cedex
Tel : 20 98 89 85

BIC CARPETS
Av. de l'Est
94100 Saint-Maur
Tel : 48 83 09 99

CORAL FRANCE VERNIER
40, rue Thomas
BP 914
92009 Nanterre Cedex
Tel : 47 21 68 69

FLIPO TAPIS
333, chaussée Fernand-Forest
BP 116
59332 Tourcoing
Tel : 20 94 26 33

GBS
12, passage des Plantes
BP 20
94272 Kremlin-Bicêtre Cedex
Tel : 46 70 11 69

LEVASSEUR INDUSTRIE
122 bis, rue André-Karman
BP 228
93533 Aubervilliers Cedex
Tel : 48 39 19 48

MASURE FILS S.A
40, rue du Bus
59336 Tourcoing Cedex
Tel : 20 01 41 22

NORDFIEL
4, rue Saint-Joseph
75002 Paris
Tel : 45 08 02 84

TAPIS SCHALFLER
BP 16 ZI
67590 Schweighouse-sur-Moder`
Tel : 88 73 31 73

VELOUTA
23, rue du Père-Corentin
75014 Paris
Tel : 43 21 67 39

VORWERK TEXTIL FRANCE
30, av. de l'Amiral-Lemonnier
78160 Marly-le-Roi
Tel : 39 58 48 56

MOQUETTES TUFTEES

AGORA
Z I de la Pilaterie
BP 116
59443 Wasquehal Cedex
Tel : 20 98 89 85

BALTA BATIMENT FRANCE
Immeuble Jéna
33, rue Galilée
75116 Paris
Tel : 47 23 72 24

BESMER FRANCE
Z I, rue du Duremont
59960 Neuville-en-Ferrain
Tel : 20 94 20 43

CORAL FRANCE VERNIER
40, rue Thomas
BP 914
92009 Nanterre Cedex
Tel : 47 21 68 69

DELTEX
14, rue Serpente
75006 Paris
Tel : 46 33 99 22

DURA FRANCE SARL
1, bd de l'Oise
Immeuble Les Maradas
95030 Cergy Cedex
Tel : 30 30 01 02

ESCO FRANCE
28, av. Edouard-Vaillant
93500 Pantin
Tel : 48 40 67 31

EUROMOKETT
Z I La Violette
49240 Avrillé
Tel : 41 91 71 61

FULDA FRANCE
5-7, rue Ordener
75018 Paris
Tel : 42 08 83 14

GOOSSENS
41, bd Serurier
75019 Paris
Tel : 42 00 79 88

JAEGLER
17, rue de la Chapelle
75018 Paris
Tel : 46 07 33 72

MARECHAL
92, av. Saint-Mandé
75012 Paris
Tel : 43 44 19 67

NONWOVEN
7, rue Gounod
75017 Paris
Tel : 47 63 69 86

PLASTIBAT
Z I, impasse des Bleuets
80700 Roye
Tel : 22 78 42 13

VELOUTA
23, rue du Père-Corentin
75014 Paris
Tel : 43 21 67 39

**VORWERK TEXTIL
FRANCE**
30, av. de l'Amiral-Lemonnier
78160 Marly-le-Roi
Tel : 39 58 48 56

TAPIS NELCA
51, bd de Valmy
59650 Villeneuve-d'Asq
Tel : 20 47 04 41

TISCA FRANCE
46, rue de Grenelle
75007 Paris
Tel: 42 22 84 23

UTD ESSOR
6, rue de Genève
69800 Saint-Priest
Tel : 78 90 24 00

PIERRE RECONSTITUEE GRANITO

BARRAN R.
1, av. Pasteur
64200 Biarritz
Tel : 59 23 11 44

BRADSTONE INTERNATIONAL
Le Pont-Double
26290 Donzère
Tel : 75 04 01 88

FULGET
3, rue Fragonard
75017 Paris
Tel : 42 29 06 26

LAPORTE S.A
1170, route de Nice
06600 Antibes
Tel : 93 33 26 90

MANUFACTURE FRANCAISE DE CARRELAGES
397, rue du Fg-de-Tournai
59230 St-Amand-les-Eaux
Tel : 27 48 48 35

MARQUIER S.A
BP 13
81220 St-Paul-Cap-de-Joux
Tel : 63 70 60 12

PARIS FRANCE CERAMIQUE
78, rue Etienne-Dolet
92240 Malakoff
Tel : 47 35 38 52

PROSPEURO
59, rue Henri-Laroche
60800 Crépy-en-Valois
Tel : 44 87 58 57

RIGUTTO
133, rue Marc-Sangnier
94700 Maisons-Alfort
Tel : 42 07 13 35

SETIT
10, av. du Général-Leclerc
47300 Villeneuve-sur-Lot
Tel : 53 70 73 63

VIERO-PASTELAN
ZAC de Paris Nord 2e du port
Ilot R Bât. 3
22, av. des Nations
93420 Villepinte
Tel : 47 99 50 85

ADRESSES DES FABRICANTS

DALSOUPLE
BP 81
49400 Saumur Cedex
Tel : 41 50 28 66

FS BIVOIS
25, rue Gerstheim
67100 Strasbourg
Tel : 88 36 01 16

INTERFACE HEUGA
Immeuble Diamant
4, rue René-Razel
91892 Orsay Cedex
Tel : 69 85 19 19

MONDO RUBBER FRANCE
141, av. de la République
93800 Epinay-sur-Seine
Tel : 48 26 43 70

PROTECMO
50, av. du Président-Wilson
93210 La Plaine-Saint-Denis
Tel : 48 09 22 99

TARAFLEX
43, bd de Garibaldi
69170 Tarare
Tel : 74 05 40 00

WOOD MILNE
BP 307
82200 Moissac
Tel : 63 04 01 23

DALLE VINYL

AGORA
Z I de la Pilaterie
BP 116
59443 Wasquehal Cedex
Tel : 20 98 89 85

LANKO
BP 38, route de Mambres
94440 Santeny
Tel : 43 86 12 12

TARAFLEX
43, bd de Garibaldi
69170 Tarare
Tel : 74 05 40 00

REVETEMENT DE SOL PLASTIQUE COULE

BEUGIN INDUSTRIE
BP 35
62150 Houdin
Tel : 21 47 47 00

FOOTGREENSPORT
Rue de la Coopérative
BP 22
34740 Vendargues
Tel : 67 70 70 81

RESIFLOOR
28, rue Max-Dormoy
75018 Paris
Tel : 46 07 56 85

REVALPA
34, rue de la République
93100 Montreuil-sous-Bois
Tel : 48 51 65 65

SETARS
41, rue des Trois-Fontanots
92000 Nanterre
Tel : 47 24 44 00

REVETEMENT DE SOL MURS EN LIEGE

AGORA
Z I de la Pilaterie
BP 116
59443 Wasquehal Cedex
Tel : 20 98 89 85

BOULENGER
21, rue Pajol
75018 Paris
Tel : 46 07 97 84

MUROLAX S.F.D.P
18, rue Tronchet
92120 Palaiseau
Tel : 60 10 38 17

SODAP
34, rue Verdun
69100 Villeurbanne
Tel : 78 80 60 66

THANET SARL
22, rue Jeanne-d'Arc
68800 Thann
Tel : 89 37 15 14

glossaire

ABAQUE :
Graphique permettant de déterminer la valeur numérique d'une fonction.

ACCELERATEUR :
Maçonnerie : "accélérateur de prise". Se dit d'un produit que l'on ajoute à un mortier ou à un béton pour en accélérer la prise.

ACCESSOIRES :
"accessoires de couverture". Ce sont toutes les pièces utilisées pour effectuer les ouvrages particuliers de couverture (faîtages, arêtiers, rives, etc.).

AGGLOMERE :
Bloc préfabriqué constitué d'éléments divers (agrégats) employés seuls ou avec un liant servant à la construction de murs ou de cloisons. Les agrégats peuvent être des roches, des sables, du liège, etc. le liant du ciment, du plâtre, etc.

AGREGAT :
Elément rentrant dans la composition d'un mortier ou d'un béton : sables, cailloux, pierres concassées, gravillons, pouzzolane.

AISSELIER :
Charpente : pièce de bois destinée à renforcer l'assemblage de deux pièces de charpente en empêchant écartement ou déformation.

ALLEGE :
Partie du mur en général moins épaisse que lui, comprise entre le sol de la pièce où se trouve l'ouverture et l'appui de l'ouverture.

APPAREIL :
Maçonnerie : disposition des matériaux entrant dans la composition des murs (pierres de taille, moellons, briques); appareils réguliers ou irréguliers, ensemble de dispositions, lits horizontaux, joints verticaux.

APPUI :
Point sur lequel porte une poutre. Partie haute d'une allège.

ARASE :
Maçonnerie : dernière assise d'un mur destinée à supporter d'autres matériaux.

ARBALETRIER :
Charpente : pièce de bois d'une ferme posée obliquement et supportant les pannes. Elle est fixée en partie basse à l'entrait, en partie haute au poinçon.

ARETIER :
Charpente-couverture : intersection de deux pans de toiture formant un angle saillant. Intersection d'une croupe et d'un versant de toiture.

ASSAINISSEMENT :
Ensemble des opérations de collecte et d'épuration des eaux et matières usées.

ASSEMBLAGE :
Charpente-menuiserie. Manière de relier entre elles des pièces de bois ou de métal.

ASSISE :
Maçonnerie : nom de chaque rang horizontal des éléments constituant un mur en pierres, briques, moellons, etc. limité par un joint de lit horizontal. La distance entre ces deux joints est appelée la hauteur d'assise.

AUGET :
Maçonnerie : garnissage en plâtre entre les solives d'un plancher.

AVANT-PROJET :
Etude préparatoire, graphique, technique et économique d'un projet de construction.

BANCHE :
Maçonnerie : élément de coffrage unitaire pour le coulage du béton sur une certaine hauteur. Les banches sont déplacées au fur et à mesure de l'avancement des travaux.

BANDE :
Couverture : pièce métallique de faible largeur utilisée dans l'exécution d'une couverture.

BANDEAU :
Maçonnerie : mince saillie horizontale sur une façade dont la fonction est d'éloigner les eaux de pluie du parement d'un mur.

BARDAGE :
Revêtement de parties verticales d'une construction, planches de bois, plaques de métal, amiante, ciment, ardoises. On appelle bardage à clins, la pose horizontale de planches de bois.

BATI :
Menuiserie : assemblage de montants et traverses servant d'encadrement ou de support.

BATI DORMANT :
Cadre fixe d'une porte.

BESACE :
Maçonnerie : "appareil en besace". Mode d'appareil utilisé à l'angle ou à la jonction des murs. Y sont superposées alternativement une assise de pierres posées en boutis-

ses, une assise de pierres posées en panneresse.

BLOCAGE :
Maçonnerie : mode de construction d'un mur en moellons et mortier placés sans ordre.

BLOCHET :
charpente : dans les combles à faux entrait, pièce qui relie horizontalement la jambe de force au pied de l'arbalétrier pour éviter les déformations.

BOISSEAU :
Elément manufacturé de conduit de fumée ou de ventilation, ayant la forme d'un corps creux à emboîtement.

BOUTISSE :
Maçonnerie : pierre, brique, etc. dont la plus grande dimension est perpendiculaire à la façade d'un mur.

BRISIS :
Charpente-couverture : pan inférieur d'un comble brisé à la Mansard.

CHAINAGE :
Ceinture métallique ou en béton armé incorporée à l'ensemble des murs d'une construction pour les rendre solidaires et en éviter l'écartement.

CHAMBRANLE :
Encadrement de bois, pierre ou autre d'une ouverture, fenêtre ou porte.

CHAPE :
Maçonnerie : recouvrement. Revêtement destiné à protéger des infiltrations une surface quelconque, terrasse, voûte, etc.

CHASSIS :
Menuiserie : cadre fixe ou mobile en bois ou en métal recevant une vitre (tabatière : châssis en comble comprenant un dormant incliné et un abattant vitré).

CHENEAU :
Couverture : caniveau recueillant les eaux de pluie en bas d'une pente de toiture et les dirigeant vers les tuyaux de descente.

CHEVETRE :
Charpente : pièce qui se place entre deux solives dites solives d'enchevêtrure pour ménager dans un plancher une ouverture appelée trémie.

CHEVRON :
Charpente : pièce de bois de moyenne section placée sur les pannes d'une charpente et qui supporte le lattis ou le voligeage destiné à recevoir le matériau de couverture.

CHIEN ASSIS :
Lucarne dont la toiture plate est inclinée vers l'arrière.

COFFRAGE :
Maçonnerie : ouvrage provisoire, réalisé généralement en bois, permettant le moulage du béton (armé ou non).

COLOMBAGE : système de construction de murs ou de cloisons en pans de bois dont les vides sont remplis de maçonnerie.

COMBLE :
Ensemble constitué par la charpente et la couverture d'un édifice.

CONTREVENTEMENT :
Charpente : dispositif mise en place pour s'opposer aux déformations.

CORBEAU :
Support faisant saillie sur le nu d'un mur destiné à recevoir une extrémité de poutre ou d'arc.

CORNICHE :
Elément saillant couronnant un édifice, soutenant l'égout de la toiture et rejetant les eaux pluviales loin de la façade.

COULIS :
Maçonnerie : plâtre ou mortier suffisamment liquide pour remplir les joints d'une maçonnerie, appareillée d'un carrelage, d'un dallage.

COUVERTURE :
Recouvrement étanche de la partie supérieure d'un édifice.

COUVRE-JOINT :
Elément fixé sur un joint pour le cacher.

COYAU :
Petite pièce de bois rapportée au devant d'un chevron pour réduire la pente en partie basse d'un comble.

CREPI :
Maçonnerie : couche grossière de mortier ou de plâtre que l'on applique sur la maçonnerie pour préparer les surfaces à recevoir la couche d'enduit définitive. D'aspect grenu, il peut rester apparent.

CROISEE :
Menuiserie : châssis vitré fermant une baie extérieure. Synonyme de fenêtre.

CROUPE :
Couverture : versant de la toiture raccordant deux longs pans d'un comble.

DANS-OEUVRE :
Se dit des mesures prises à la face intérieure des murs ou d'une fouille (opposé à hors-oeuvre).

DEBLAI :
Enlèvement des terres par excavation (feuille en déblai).

DECOFFRAGE :
Opération consistant à retirer les coffrages ayant servi à mouler des éléments de béton après durcissement suffisant de celui-ci.

DEGRADATION :
Maçonnerie : dégradation des joints. Opération qui consiste à enlever superficiellement le mortier de pose garnissant les joints d'une maçonnerie avant de refaire ceux-ci (rejointoyer).

DESCENTE :
Canalisation évacuant verticalement les eaux de pluie.

DORMANT :
Châssis fixe de porte ou fenêtre destiné à recevoir les parties ouvrantes.

DOUBLIS :
Double rang de tuiles ou d'ardoises formant l'égout d'une couverture.

DRAIN :
Fondation : dispositif d'assèchement servant à capter les eaux souterraines.

ECHANTIGNOLE :
Charpente : tasseau fixé sur l'arbalétrier d'une ferme au droit des pannes pour les empêcher de glisser.

ECHIFFRE :
Escalier : mur supportant les marches d'un escalier.

EFFLORESCENCE :
Tache sur les murs provenant de la dissolution des sels minéraux contenus dans les matériaux.

EGOUT :
Couverture : partie basse d'une couverture où s'écoulent les eaux pluviales.

EMBREVEMENT :
Charpente : entaille faite dans un assemblage à tenon et mortaise afin de le renforcer.

EMMARCHEMENT :
Escalier : longueur de la marche d'un limon au mur.

ENTRAIT :
Charpente : pièce horizontale placée à la base d'une ferme.

ENTRETOISE :
Pièce d'une charpente servant à raidir et à liaisonner d'autres pièces.

ENTREVOUS :
Maçonnerie : espace entre les solives d'un plancher. Maçonnerie de remplissage entre les solives.

EQUARRIR :
Ensemble des dispositifs réalisés pour éviter la pénétration de l'eau, en couverture, fondation, etc.

FAIENCAGE :
Petites craquelures apparaissant sur la surface d'un enduit.

FAITAGE :
Charpente-couverture : pièce de bois formant le sommet de la charpente d'un comble (panne faîtière). Elément de couverture de la panne faîtière.

FERME :
Assemblage de pièces de charpente triangulées, placées de distance en distance pour supporter la couverture d'un bâtiment.

FERRAILLAGE :
Ensemble des armatures de fer dans le béton armé. Fabrication et pose des armatures.

FEUILLURE :
Maçonnerie : entaille pratiquée dans les montants des baies pour y loger le bâti.

FISSURE :
Maçonnerie : fente, crevasse dans un mur, un enduit, indiquant un désordre dans l'édifice.

FLECHE :
Amplitude de la courbe que prend une pièce de charpente sous une charge.

FONDATION :
Ensemble des travaux nécessaires pour constituer l'assise d'une construction sur le sol et en assurer la stabilité.

FORME :
Pavage-carrelage-étanchéité : couche préparatoire de béton, sable ou gravillons de support servant et à la répartition des charges et à l'égalisation de la surface avant la pose d'un revêtement.

FOUILLE :
Fondation : préparation du terrain de fondation par creusement. Fouille en pleine masse : terrassement général de la surface à construire dont la profondeur est limitée à un niveau déterminé (sol des caves par exemple).

FOUILLE EN RIGOLE :
Tranchées de largeur minimum 0,40m destinées à recevoir les maçonneries, les fondations et les canalisations.

GACHER :
Maçonnerie : délayer du plâtre, de la chaux, du ciment, du mortier.

GAINE :
Enveloppe de canalisation, conduit de ventilation.

GOUTTIERE :
Couverture : canal métallique placé à la base d'une toiture pour recevoir les eaux pluviales.

GROS-OEUVRE :
Désigne l'ensemble des ouvrages formant l'ossature d'un bâtiment et en assurant la stabilité et la résistance (fondation, murs porteurs, planchers, etc.).

HERISSON :
Fondations : pierres de gros calibre posées sur le sol pour asseoir les fondations d'une construction. Dallage sur hérisson.

HORS-OEUVRE :
Mesures prises au dehors opposé à "dans-œuvre".

HOURDER :
Maçonnerie : maçonner, lier les matériaux au moyen de plâtre ou de mortier.

HOURDIS :
Tout élément manufacturé (céramique, plâtre, béton, etc.) placé entre solives ou poutrelles pour former la sous-face d'un plancher.

HUISSERIES :
Menuiserie : encadrement fixe en bois ou en métal d'une porte dans une cloison, composé de deux montants et d'une traverse.

IGNIFUGE :
Retarde, empêche la combustion de matériaux combustibles.

IMPOSTE :
Menuiserie : partie fixe ou mobile, vitrée ou non, au-dessus d'une porte ou d'une fenêtre. Celle-ci étant moins haute que la baie.

ISOLANT :
Matériau destiné à la protection contre la chaleur ou le froid, contre le bruit, l'humidité, etc.

JAMBE :
Jambe de force : pièce de ferme reliant obliquement l'arbalétrier au poteau ou au mur de soutien.

JOINT :
Vide séparant des matériaux juxtaposés dont il convient d'assurer la liaison (joint au mortier pour les maçonneries de pierres, de briques, d'agglomérés, etc.)

JOINTOIEMENT :
Maçonnerie: remplissage des joints d'une maçonnerie avec un matériau de liaison : plâtre, mortier de chaux ou de ciment.

JOUR :
Escalier : espace vide autour duquel se développe l'escalier.

LAMBRIS :
Menuiserie : panneaux de bois assemblés pour constituer des portes, volets, cloisons, etc.

LATTE :
Couverture: petite pièce de bois employée pour la fixation des tuiles ou des ardoises.

LATTIS :
Couverture : ensemble de lattes fixées sur les chevrons du toit pour recevoir le matériau de couverture.

LIANT :
Maçonnerie : on nomme liants les produits employés dans la construction pour lier, agglomérer certains matériaux entre eux.

LINTEAU :
Traverse horizontale au-dessus d'une ouverture. Peut être en bois, en fer, en pierre ou en béton armé et s'appuie sur les deux jambages de la baie.

MENEAU :
Montant ou traverse fixe divisant la surface d'une baie.

MONTANT
Menuiserie : pièce verticale d'un ouvrage assemblé.

MORTAISE:
Charpente-menuiserie : entaille pratiquée dans une pièce de bois pour y engager le tenon d'un assemblage dit à tenon et mortaise.

NIVELLEMENT :
Egalisation d'un sol pour le rendre plan.

NOUE :
Charpente-couverture: angle restant fermé par la rencontre de deux pans de toiture.

NUE :
Surface plane d'un mur ou d'un

ouvrage utilisée comme repère pour mesurer les saillies ou les retraits.

OUTEAU :
Couverture : petites ouvertures disposées sur les versants d'un comble pour assurer une ventilation constante du comble.

PAN DE BOIS :
Ossature en bois remplaçant un mur porteur. Partie d'un mur ou d'une toiture.

PANNE:
Charpente : pièce placée horizontalement sur les arbalétriers des fermes et portant les chevrons.

PANNETONNAGE :
Couverture: fixation par le dessus des tuiles d'une couverture exposée à des grands vents.

PAREMENT :
Toute surface apparente d'un ouvrage.

PLAN :
Tracé graphique représentant en projection horizontale les différentes parties d'un édifice à une échelle donnée.

PONT THERMIQUE :
Partie d'une construction présentant un défaut d'isolation et provoquant à cet endroit une perte de chaleur.

PUISARD :
Type de puits absorbant creusé dans le sol pour recevoir les eaux pluviales ou usées.

REFOUILLEMENT :
Maçonnerie : évidement pratiqué dans un joint de maçonnerie.

REGARD :
Cavité pratiquée dans le sol pour atteindre une canalisation.

REJOINTOYER :
Maçonnerie: dégarnir les joints de pose, puis les regarnir de mortier après mouillage et nettoiement.

REMBLAI :
Terrassement : masse de terre rapportée pour élever le niveau d'un terrain.

RETRAIT :
Diminution de volume d'un corps après séchage (mortier, ciment, bois...).

RIGOLE :
Terrassement : petite tranchée pratiquée dans le sol pour établir une fondation plus profonde.

RIVE :
Bord latéral d'une toiture.

RADIER :
Fondation : ouvrage en maçonnerie reposant directement sur le sol. Radier général : dalle en béton armé couvrant entièrement la surface d'un bâtiment au niveau du sol de fondation.

RAGREER :
Terminer complètement un travail en supprimant les irrégularités qui peuvent subsister.

RAMPANT :
Désigne une surface inclinée. Bord incliné d'un pignon, d'un escalier.

RECOUVREMENT :
Couverture : partie haute d'un élément de couverture en ardoise ou en tuile. Non visible et ne recevant jamais d'eau de pluie.

SABLAGE :
Décapage des surfaces par l'action d'un jet de sable.

SABLIERE :
Charpentes : pièce horizontale, dans laquelle s'assemblent les poteaux.

SECOND ŒUVRE :
Ensemble des ouvrages complétant une construction.

SEMELLE :
Fondation : élément de fondation répartissant les charges sur le sol.

SOLIN :
Garnissage en mortier exécuté sur une couverture le long des murs ou des souches de conduits de fumée, pour assurer l'étanchéité.

SOLIVE :
Charpentes: pièce horizontale supportant le plancher et placée sur des poutres, des sablières, des saillies dans le mur.

SOUBASSEMENT :
Partie basse d'une construction.

SOUCHE :
Elément en maçonnerie placé au-dessus des combles et renfermant un ou plusieurs conduits de fumée.

SOUS-FACE :
Face horizontale inférieure.

SOUS-TOITURE :
Revêtement de la face inférieure d'une toiture.

SOUTENEMENT :
Construction résistant à la poussée des terres.

TABLEAU :
Joue verticale (ouverture en façade).

TALOCHAGE :
Finissage à la taloche de la surface du béton.

TAPEE :
Pièce rapportée verticalement sur la face extérieure des montants des dormants de croisée ou de porte pour fixer des persiennes.

TENON :
Partie d'assemblage entrant dans la mortaise.

TERRASSON :
Partie plate ou peu inclinée d'un comble.

TRAVERSE :
Pièce constituant un des côtés horizontaux des portes et fenêtres.

TRAVERTIN :
Calcaire compact à nombreuses cavités vermiculaires.

TRUMEAU :
Partie de mur entre deux ouvertures.

TREMIE :
Vide dans un plancher.

VANNE :
Robinet de grande dimension.

VANTAIL :
Chaque partie mobile d'une porte, d'une croisée, d'une persienne, etc.

VASISTAS :
Petite ouverture fermée par un châssis vitré ou un volet mobile.

VERMICULITE :
Roche feuilletée susceptible d'acquérir une grande légèreté par expansion à chaud.

VERSANT :
Chaque pente d'un comble.

VIDE-SANITAIRE :
Vide continu et ventilé de 20 cm au minimum, entre les planchers bas de rez-de-chaussée et le sol, dans les immeubles ne comportant pas de caves ou de sous-sol.

VOLIGE :
Planche mince utilisée comme latte, normalement de 11 x 10 à 18 mm de section.

VOUSSOIR :
Chacune des pierres formant le cintre d'un arc, d'une voûte ou d'une arcade.

VOUSSURE :
Raccord courbe entre plafond et mur ou corniche.

VOUTAIN :
Petite voûte généralement en brique et surbaissée, s'appuyant sur des poutrelles.

ABF
(Architecte des Bâtiments de France) ABF 93 Seine Saint Denis: 39, rue de Strasbourg, 93200 SAINT-DENIS - Tél. : 42 43 00 71
ABF 94 Val de Marne: Château de Vincennes, 94300 VINCENNES
Tél. : 43 65 25 34

AFAIR
(Agence Française d'Aménagement, d'Isolation et de Rénovation) 74 Fbg St Antoine, 75012 PARIS
Tél: 43 43 03 32

AFNOR
(Association française de normalisation) Tour Europe Cedex 7
92080 PARIS LA DEFENSE
Tél. : 42 91 55 55

ANAH
(Agence Nationale pour l'amélioration de l'Habitat) 17 rue de la Paix, 75002 PARIS
Tél: 44 77 39 39

ANIL
(Agence Nationale pour l'information sur le logement) 2, bd St Martin
75003 PARIS
Tél: 42 02 05 50

Chambre des Notaires
12, Avenue Victoria
75001 PARIS
Tél: 42 33 71 06

CAUE
(Conseil d'Architecture, d'Urbanisme et de l'Environnement)
CAUE 93: 37, rue du Chemin Vert, 93000 BOBIGNY
Tél. : 48 32 25 93
CAUE 94: 5, rue Carnot, 94600 CHOISY LE ROI
Tél. : 48 52 55 20

COOPERATEURS ET CASTORS ILE DE FRANCE
(pour construire soi-même)
26 rue d'Enghien,
75010 PARIS
Tél. : 48 24 17 06

CEBTP
(Centre expérimental du bâtiment et des travaux publics)
48 rue Dantzig,
75015 PARIS
Tél. : 45 32 84 06

CEP
(Contrôle technique et prévention des risques)
32-34, rue Rennequin
75850 PARIS Cedex 17
Tél. : 40 54 64 74

CODAL
(Comité départemental pour l'amélioration du logement)
Galerie Rouget de l'isle
94600 CHOISY LE ROI
Tél. : 48 84 88 66

Conseil Régional de l'Ordre des Architectes de l'Ile de France
140 Avenue Victor Hugo,
75016 PARIS
Tél: 45 53 58 56

CSTB
(Centre scientifique et technique du bâtiment)
84, avenue Jean Jaures BP n°2
CHAMPS sur MARNE
77421 MARNE LA VALLEE
Tél: 64 68 82 82

DDASS
(Direction Départementale des Affaires Sanitaires et Sociales pour les problèmes d'assainissement ou d'hygiène)
DDASS de Seine Saint Denis
24, rue Carnot, 93000 Bobigny
DDASS du Val de Marne
38, rue Saint Simon,
94000 CRETEIL

DDE
(Direction Départementale de l'Equipement)
DDE 93 Seine Saint Denis
Tél. : 48 95 60 60
DDE 94 du Val de Marne
12-14, rue des Archives,
94011 CRETEIL
Tél. : 49 80 21 00

FIB
(Fédération française de l'industrie du béton)
3, rue Alfred-Roll
75849 PARIS Cedex 17
Tél. : 44 01 47 01

FNB
(Fédération nationale du bâtiment)
9, rue La Perouse,
75016 PARIS
Tél. : 40 69 51 00

FNTP
(Fédération nationale des travaux publics)
3, rue de Berri, 75008 PARIS
Tél. : 44 13 31 44

FRCMB
(Fédération Régionale Compagnonnique des Métiers du Bâtiment)
1, rue de la Solidarité, 75019 PARIS
Tél. : 42 39 58 57

JOURNAL OFFICIEL
26, rue Desaix
75732 PARIS Cedex 15
Tél. : 40 58 76 00

Maisons Paysannes de France
(Association pour la défense du cadre de vie rural)
32, rue Pierre Sémart
75009 PARIS
Tél. : 42 82 12 24

OPQCB
(Organisme professionnel de qualification et classification du bâtiment et des activités annexes)
55, avenue Kléber
75784 PARIS CEDX 16
Tél. : 47 04 26 01

Ordre des Géomètres experts
40, Avenue Hoche,
75008 PARIS
Tél. : 45 63 24 26

OTUA
(Office technique pour l'utilisation de l'acier) Immeuble Ile de France
4, place Pyramide
92072 PARIS la DEFENSE
Tél. : 41 25 63 12

PACT ARIM
(Centre d'amélioration du logement)
10, bd Paul Vaillant Couturier
93100 MONTREUIL / BOIS
Tél. : 48 58 19 86

SOCOTEC
(Société de contrôle technique et d'expertise de la construction)
33, avenue du Maine, Tour Maine Montparnasse,
75755 PARIS Cedex 15
Tél. : 45 38 52 73

SNBATI
(Syndicat national du béton armé et des techniques industrialisées)
9, rue La Pérouse
75784 PARIS Cedex 16
Tél. : 40 69 52 78

UNM
(Union nationale de la maçonnerie)
9, rue la Pérouse
75784 PARIS Cedex 16
Tél. : 47 20 06 62

Service centraux :
Avenue de Concyr
BP 6009, 45018 ORLEANS Cedex
Tél. : 38 64 34 34

VERITAS
17 bis, Place des Reflets
La Défense 2
92400 COURBEVOIE
Tél. : 42 91 52 91

Achevé d'imprimer en août 1997
sur les presses de l'Imprimerie Carlo Descamps
59163 Condé-sur-l'Escaut

Dépôt légal : septembre 1997
N° d'imprimeur : 97299
Imprimé en France